SO-AQL-039

Glencoe Spanish 3

¡Buen viaje!

Video Activities Booklet

Glencoe McGraw-Hill

New York, New York   Columbus, Ohio   Woodland Hills, California   Peoria, Illinois

Glencoe/McGraw-Hill

*A Division of The **McGraw·Hill** Companies*

Copyright © 2000 by Glencoe/McGraw-Hill. All rights reserved. Permission is granted to reproduce the material contained herein on the condition that such material be reproduced only for classroom use; be provided to students, teachers, and families without charge; and be used solely in conjunction with **Glencoe Spanish 3** *¡Buen viaje!* Any other reproduction, for use or sale, is prohibited without prior written permission of the publisher.

Printed in the United States of America.

Send all inquiries to:
Glencoe/McGraw-Hill
8787 Orion Place
Columbus, OH 43240

ISBN 0-02-641844-4

4 5 6 7 8 9 009 08 07 06 05 04 03 02

Table of Contents

CHAPTER GUIDELINES

TEACHER'S MANUAL

STUDENT ACTIVITY PAGES

VIDEO ACTIVITIES BOOKLET
Copyright © Glencoe/McGraw-Hill

Introduction

Video Program

¡BUEN VIAJE! LEVEL 3

The *Buen viaje!* Video Program accompanies Glencoe Spanish 3 *¡Buen viaje!* published by Glencoe/McGraw-Hill, a division of McGraw-Hill Publishing Company. The 59-minute video presents a collage of authentic television footage produced by native speakers in Spain, Mexico, Argentina, Ecuador, and other Spanish-speaking countries. The footage has been selected in order to expand on specific cultural themes presented in the textbook and help bring the printed page to life.

The Video Activities Booklet supplements the Video Program in several ways. First, it gives teachers an easy, accessible way to integrate the video into daily lessons. Second, it provides a variety of meaningful pre-viewing, viewing, and post-viewing activities to engage students' interest in Hispanic culture and society. Third, it helps students to draw upon, expand, and implement their knowledge of Spanish language and culture gained through their work with the textbook.

¡BUEN VIAJE! LEVEL 3 AND PRIOR LEVELS

The *¡Buen viaje! Level 3* Video Program is similar to those of Levels 1 and 2 of this series in that through it, students meet people from a wide range of ages, occupations, and backgrounds. The program's cultural and linguistic authenticity will help students develop a view of Hispanic culture and society that is realistic and free of stereotypes.

The *¡Buen viaje! Level 3* Video Program differs from those of Levels 1 and 2 in the following ways:

- The video segments have been selected from existing television programs, rather than designed specifically for North American high school students learning Spanish.

- These television programs have been edited minimally in order to make them more linguistically accessible to Level 3 Spanish students.

- The Video Program segments feature more voice-overs (off-camera narrators speaking over images seen on the screen) than they do on-screen speakers.

- The segments incorporate new vocabulary.

- The structural level of the language used in the voice-overs is often more challenging than that of conversation.

- Besides introducing each segment, the Spanish-speaking hosts help students focus on the main points of each segment and avoid being sidetracked by new vocabulary and structures.

OBJECTIVES OF THE VIDEO PROGRAM

The objectives of the Video Program and the Video Activities Booklet are:

- to reinforce the vocabulary, structures, and cultural content presented in each chapter of the textbook.

- to present language spoken in authentic cultural contexts.

- to expand students' understanding of Hispanic culture using television programs on culturally relevant topics and produced by a wide variety of native Speakers in Spanish-speaking countries.

- to foster the development of listening strategies supported by visual cues.

- to encourage production of authentic language.

- to motivate students to complete tasks based on what they see and hear.

- to promote students' success as language learners by stimulating their interest and helping them to develop learning strategies.

CONTENTS OF THE VIDEO PROGRAM

The 59-minute Video Program that accompanies *¡Buen Viaje! Level 3* begins with an introductory segment followed by eight units, one for each chapter of the book. Each of these units contains from one to three video segments, and each segment has an introduction.

1. **The Introductory Sequence**   In the introductory sequence, two bilingual Spanish speakers—Jocelyn and Federico—describe the video program. They also provide an orientation and practice exercise to assist students in learning to work with the authentically produced video material. They demonstrate that acquiring Spanish as a second language is an attainable goal.

2. **Video Units**   There is a video unit to accompany each chapter of *¡Buen Viaje! Level 3*. Each unit offers at least one video segment related to a cultural theme from the corresponding chapter. Most chapters have two such segments, while Chapter 1 has three.

3. **Video Segments**   There are sixteen video segments, each lasting from twenty seconds to three minutes. Each segment is preceded by an on-screen map of the Spanish-speaking world, on which the country featured in the segment is highlighted. Then a boarding pass appears, showing the name of the country and the title of the video segment. Countries featured are: Spain, Mexico, Argentina, Bolivia, Ecuador, Honduras, Peru, and the U.S.

Each segment is introduced by Jocelyn or Federico or both. They establish the context of the segment, provide a quick preview accompanied by film clips, and guide students as to what main points to watch and listen for.

Each segment reinforces grammatical, lexical, and cultural material in the corresponding textbook chapter. For every segment, pre-viewing, viewing, and post-viewing activities in the Video Activities Booklet create multiple opportunities for students to work meaningfully in Spanish alone, in pairs, or in small groups.

VIDEO ACTIVITIES BOOKLET
Copyright © Glencoe/McGraw-Hill

- **Pre-viewing activities** These activities prepare students to gain maximum benefit from their viewing experience. As a bridge between the textbook and the video, they work with the background knowledge and linguistic elements students must draw on to understand the video segment.

- **Viewing activities** Because students tend to approach video viewing as a passive exercise, the viewing activities are well-defined tasks that encourage them to focus on individual aspects of language or culture one at a time. This approach promotes their success as language learners by reducing their anxiety. It also provides for repeated aural input, which aids in the development of listening strategies. Some viewing activities require students to look for specific information, while others require them to assess whether or not statements are true based on what they have seen and heard.

- **Post-viewing activities** The post-viewing activities reinforce the video segment's linguistic and cultural content. They also assist students in moving from understanding what they have observed to using language skills with a purpose.

WHEN TO USE THE VIDEO

When to use the video depends upon the students, upon linguistic and cultural objectives, and upon teacher preference. The following three approaches can be combined or varied according to individual needs and objectives.

1. **Introduction** As an introduction to new learning objectives, students may view the video scene that corresponds to a given chapter when they begin to study the chapter. This approach should prove quite effective in Level 3, since students are well-grounded in the Spanish language.

2. **Reinforcement** Students may view the segment at any time while they are studying a given chapter as a way to reinforce new material.

3. **Review** Students may view the segment upon completion of a chapter as a way to review and develop further what they have learned.

THE VIDEO PROGRAM AND THE FOUR LANGUAGE SKILLS

1. **Listening** To develop listening skills and strategies is a primary goal of the Video Program. Because it brings real situations to the classroom, the video offers students diverse opportunities to observe and hear native speakers whose tone of voice and rate of speech vary.

   Research indicates that we do not hear or understand every word when we listen to someone speak, even in our native language. Rather, we arrive at understanding by using listening strategies to fill in what we have not heard or understood in a conversation. These listening strategies are so natural, we are often unaware of them. To understand what another person says, we use what we know about the language, what we know about the person who is speaking, and what we expect the person to say. When we listen to a language we do not understand, these listening strategies work imperfectly at best. We tend to focus on each word and soon develop listening skills and strategies in an unnatural way.

Students are told in the introduction to the Video Program that they should not expect to understand every word. They should strive instead to understand the gist of what they hear. Teachers should emphasize this point to reduce students' anxiety. To further this objective, the Video Activities Booklet helps students listen for key words and develop global understanding.

To promote students' global comprehension of the topic and relevant details, the video segments provide a rich context of visual cues, such as setting, actions, facial expressions, and body language. Also, the two hosts have already helped them focus on main ideas by their comments during the introduction. Through multiple viewings of video segments students develop listening and viewing strategies like those they use in their native language.

2. **Reading** Students are encouraged to read information that is integrated in the Video Program. Environmental print, such as road signs, informational signs, signs on stores, and on-screen captions, is included in many segments to familiarize students with the written language. This information develops their reading skills in a natural way. Certain contextual reading activities focus their listening skills, helping them to work with both the spoken word and the written word through problem-solving tasks in the viewing and post-viewing activities.

3. **Speaking** Observation and studies in language learning point to the fact that students learn to speak a second language by speaking it. The activities that accompany the video provide many opportunities for students to speak Spanish in pairs and small groups in structured speaking situations. Teachers are encouraged to use each segment and the accompanying activities as a basis for paired and small-group discussion.

4. **Writing** The Video Program and the Video Activities Booklet motivate students to write by presenting them with meaningful tasks related to their interests. Tasks such as writing or circling new or familiar words they have heard help them become comfortable and able to express themselves.

THE VIDEO PROGRAM AND DEVELOPING CULTURAL AWARENESS

In addition to developing the four language skills, the Video Program promotes cultural awareness. While language and culture are inseparable, the process of learning a second language does not guarantee the learner automatic sensitivity to the target culture. For this reason, it is important to introduce students to Hispanic cultures and customs as they learn the language.

Video is one of the best tools for teaching Hispanic culture because it brings authentic images into the classroom. The video segments present native speakers of Spanish from diverse backgrounds and different Hispanic countries. These images offer students the opportunity to listen to, observe, and note natural language, gestures, facial expressions, and interactions in various settings and situations. These elements are highlighted in the video transcript in culture notes that provide background information to present to the students.

Members of several Hispanic groups play key roles in the Video Program. Their presence emphasizes that the Spanish-speaking world is a multicultural society composed of a diverse population and that this world is a heterogeneous one. As Spanish speakers worldwide work toward cultural exchange, it is essential that students learn about the many countries where knowledge of the Spanish language and Hispanic culture is a critical tool for communication and understanding.

VIDEO ACTIVITIES BOOKLET
Copyright © Glencoe/McGraw-Hill

USING THE TEACHER'S MANUAL

The Teacher's Manual provides assistance for using the Video Program. It includes the following.

- References to the approximate times for each chapter segment
- Description of each video segment
- Transcript and culture notes
- Video Activities Booklet Answer Key

LESSON PLANS FOR THE VIDEO PROGRAM

Effective classroom use of video requires careful planning. The following suggestions will help you take full advantage of the Video Program and the Video Activities Booklet.

1. Review the corresponding sections of the Teacher's Manual, including the transcript and the culture notes, for the scene you plan to show in class. Preview the scene yourself and identify structures and vocabulary, gestures and facial expressions, and other cultural information that are the segment's key elements.

2. Prepare students for viewing by going over the pre-viewing activities in the Video Activities Booklet with them. Remember that pre-viewing activities are related to viewing and post-viewing activities and give students a purpose for listening to and watching a video segment.

3. Promote active viewing of the video. The viewing activities give students a variety of interesting tasks to perform as they watch each video scene. Because it is unrealistic to expect students to listen, observe, read, and write simultaneously without preparation, it is important to go over these activities with them ahead of time. Viewing exercises frequently focus on listening or watching for specific information or words on checklists. Advanced activities encourage students to synthesize the information presented and perform tasks based on their comprehension of essential information.

4. Provide opportunities for students to apply what they have learned. The post-viewing activities are productive. Once students have watched a video segment several times, these activities allow them to move from observing and understanding Spanish language and culture to actively using what they have learned. During these activities, you may want to evaluate informally whether students have understood the linguistic and cultural objectives of the video segment.

Teaching Tips

- Go over each activity with students to be sure they understand the directions.
- Once students have viewed a video segment, discuss their reactions to what they have observed. Students may make statements that reveal stereotyped ideas about Hispanic culture. Use these reactions as opportunities to develop crosscultural sensitivity. For instance, ask students to see the event from two points of view—their own and that of someone raised in the culture featured in the segment. Have them list words, sentences, or phrases that reflect their reactions from each of the two points of view.
- Activities may be corrected in class or handed in and corrected.

GENERAL SUGGESTIONS FOR USING VIDEO IN THE FOREIGN LANGUAGE CLASSROOM

Integrating Video into the Curriculum

1. Use the video to preview or review every chapter. Remember that the Video Program and the Video Activities Booklet support and extend the textbook objectives.

2. The video segments range from twenty seconds to four minutes in length. They have been developed so that students experience success as their comprehension of language and culture increases. Incorporate viewing opportunities frequently in your lesson plans to take advantage of these benefits.

3. The pre-viewing, viewing, and post-viewing activities actively engage students in watching the video. Be sure to go over these activities with your students ahead of time to help them take full advantage of their viewing time.

4. While students are watching the video, keep reading and writing activities to a minimum. If necessary, you may use your VCR's pause function to stop the video and give students the opportunity to write a short answer.

5. Multiple viewings of the same video segment with different objectives are an effective way to provide students with many opportunities to listen to and assimilate authentic language in meaningful contexts.

6. Once students become familiar with video as an integral part of the classroom routine, vary your approach and use of activities so that students do not lose interest.

Using Video in a Learner-Centered Class

1. The video may present language or information about Hispanic cultures with which you are unfamiliar. Bear in mind that your excitement about learning something new will help your students understand that learning is a continuous experience. Share your pleasure and enthusiasm with them.

2. Cooperative learning in the form of pair- or small-group work has many advantages. It gives students opportunities to practice Spanish one-on-one, in nonthreatening situations. In time, students' self-confidence and willingness to take more risks during discussions will usually increase.

3. Encourage students to use nonverbal contextual clues to guess what a video segment is about. As they become more familiar with problem-solving strategies, such as guessing from the context, their confidence in being able to understand what a video segment is about will grow.

4. Allow students to view and discuss video segments as often as they like. Be sure that viewings include them in meaningful, related tasks.

5. The transcript and the culture notes are provided to assist you in lesson planning; they are not for duplication and distribution to the students.

VIDEO ACTIVITIES BOOKLET
Copyright © Glencoe/McGraw-Hill

6. Students do not need to know the meaning of every word or phrase they hear. Encourage them to guess from the context based on what they know. Remind them that their general understanding, demonstrated in their class participation and completion of the activities in the Video Activities Booklet, provides a good measure of their accomplishment, for which they will receive your acknowledgment and support.

7. Focus students' attention on problem-solving activities and strategies instead of on traditional question-and-answer activities.

8. Have fun with video and listen to students' reactions to activities that they enjoy and find most beneficial.

TAMING TECHNOLOGY: A USER-FRIENDLY GUIDE TO THE VCR

If you are unfamiliar with the VCR, using it for the first time can be challenging. The following steps will minimize your difficulties and enable you to enjoy this valuable teaching aid with your students.

1. **Finding your place**   Each scene in this video is identified by an on-screen counter that shows elapsed time, which is the video counterpart of a page reference. The elapsed time is noted at the beginning of the guidelines for each video chapter. Let's say that the elapsed-time reference for Chapter 1 is 3:35. This means that the scene begins 3 minutes and 35 seconds from the beginning of the tape. To find your place, insert the tape and fast-forward, stopping periodically to check the elapsed-time counter on the screen. If you are using a video disc player rather than a video cassette player, you will want to use the bar codes provided for each segment of the tape. These can be found on the tapescript.

2. **Repeating a scene**   If your VCR has a repeat function, use it to return to the beginning of the scene. Otherwise, follow the procedure described in #1 above.

3. **Adjusting sound and picture**   The Video Program's soundtrack is high-fidelity monaural. You should hear exactly the same sound from both speakers of a stereo VCR system. If the sound seems dull, adjust the balance between the speakers or regulate the bass and treble controls. If the picture seems too dark or too bright, use the contrast control. You can use the color dial to balance the amount of color in the image.

4. **Care of your tape**   VHS tapes are fragile and require care in handling and storage. Always rewind the tape after use so that only the tape leader is exposed to dust. Store the tape away from excessive heat. Do not expose it to magnets, such as those found in audio speakers. Do not touch the tape with your fingers. If you show a particular segment seve-ral times in a row, it is a good idea to wind and rewind the whole tape to reduce tape stretching.

Teacher's Manual

Chapter Guidelines

CAPÍTULO 1

Machu Picchu (Time code: 3:12–6:47)

Students visit the Incan ruins of Machu Picchu. They learn how the city was laid out and how this organization demonstrates the advanced nature of Incan society. Students also meet some young international travelers, who discuss their experiences and plans for further travel in Latin America.

El Bazar Sábado (Time code: 6:48–9:37)

From Peru, it's off to the *Bazar Sábado* in Mexico City. Here students view the wide variety of arts and crafts available. They also hear the Bazar's founder explain how it came to be.

Medios de transporte (Time code: 9:29–12:09)

Finally, students view three commercials from Spain. The ads emphasize punctuality and the importance of purchasing tickets in advance.

CAPÍTULO 2

Biblioteca viajera (Time code: 12:16–15:10)

Students discover how Ecuador, a country with a large rural population, is meeting the needs of its citizens for more access to reading materials, as well as increasing young people's motivation to read. They see how SINAB, the *Sistema Nacional de Bibliotecas,* uses a traveling library that relies on non-traditional techniques such as games and puppets to encourage elementary and secondary students to read more.

CAPÍTULO 3

Carnaval de Oruro (Time code: 15:17–18:38)

Students visit the unique *Carnaval* in Oruro, Bolivia. They learn how ten thousand dancers in forty-four different groups prepare for the arduous dancing journey through the streets of this city. They also learn that the celebration, a blend of pagan and Christian traditions, signifies the struggle between good and evil.

VIDEO ACTIVITIES BOOKLET
Copyright © Glencoe/McGraw-Hill

¡Buen viaje! Level 3   Teacher's Manual   T-1

El tango (Time code: 18:39–21:38)

Amidst scenes of Buenos Aires, Argentina, students learn about the origins and evolution of the tango. They see that—like the city from which it sprang—the dance has European roots that have been cultivated in Latin American soil.

CAPÍTULO 4

Una boda cubana (Time code: 21:44–26:30)

In Miami, students attend a Cuban-American wedding, in which they hear the Catholic priest use the traditional *vosotros* form of address, a carry-over from Spain. They also witness the Cuban custom of the groom's presenting the bride with coins to signify the sharing of material goods. Then it's off to the reception.

La quinceañera (Time code: 26:31–29:51)

In Miami, students attend another celebration, this time a traditionally elaborate ball, a gift from the parents of a *quinceañera*, a girl on her fifteenth birthday.

CAPÍTULO 5

La ruta de Colón (Time code: 29:57–33:18)

Students visit the place in Spain where Columbus began his search for financial support for his voyage across the Atlantic. The segment discusses the role played by Fray Antonio de Marchena in obtaining for Columbus the assistance of the King and Queen of Spain. Students see the spot on the shores of Hispaniola (now the Dominican Republic) where Columbus landed in 1492.

El Museo de la Revolución (Time code: 33:19–35:54)

Students visit this museum in Mexico City, where they see exhibits dedicated to this important era of Mexican history. The segment introduction features original film footage shot by international journalists at the time of the fighting.

CAPÍTULO 6

La fiesta mexicana (Time code: 36:01–38:52)

Students travel to Mexico City, where they sample the food, music, and family entertainment that typifies a weekend excursion to the restaurant *El Arroyo*. Special focus is on *la barbacoa*, a delicious result of the meeting of two cultures, and the specialty of the house.

Tesoros olvidados (Time code: 38:53–42:21)

In Quito, Ecuador, students meet a teenager named Fernando Varea, who loves antiques. Students see how one of his purchases reveals a link to his own family history. Fernando discovers that an old trunk was once owned by his great, great-grandmother and that it's full of hidden surprises.

VIDEO ACTIVITIES BOOKLET
Copyright © Glencoe/McGraw-Hill

CAPÍTULO 7

Aero-ambulancia (Time code: 42:28–46:44)

The location is Ecuador. Students see how aviation and modern medical technology combine to aid in the evacuation of a critically injured accident victim.

Mantenerse en forma (Time code: 46:45–47:30)

Students see how Ecuadorian sailors stay in good physical condition while at sea aboard a tanker.

CAPÍTULO 8

Las influencias árabes y africanas (Time code: 47:36–51:16)

Students learn how the Arabic presence in Spain for seven centuries resulted in tremendous leaps forward in the economy, agriculture, and the arts, including architecture. They also discover how African percussion techniques and rhythms have influenced music and dance in many Latin American countries.

Las influencias indígenas (Time code: 51:17–54:59)

Students visit the Mayan ruins at Chichén Itzá and learn how the uncannily advanced astronomical knowledge of this ancient civilization was at least partly due to a need as basic as growing corn. They also observe indigenous artists in a remote area of Ecuador. These people of Quechuan ancestry display traditional art reflective of the peaceful lifestyle that has been theirs for generations.

VIDEO ACTIVITIES BOOKLET
Copyright © Glencoe/McGraw-Hill

¡Buen viaje! Level 3   Teacher's Manual   ∾ T-3

Transcript and Culture Notes

Introducción al video

NARRATORS: *Jocelyn Martinez, Federico Fajardo, Narrador de AVE*

Federico

¡Hola! Bienvenidos al mundo *¡Buen viaje! Nivel 3.* Yo soy Federico Fajardo, de Colombia...

Jocelyn

... y yo, Jocelyn Martinez, de la Republica Dominicana. Vamos a servir de guías mientras Uds. viajan en este video a Perú, Argentina, España, México, Ecuador y otros países donde se habla español.

Federico

En este video van a ver programas de televisión producidos para los que hablan español como lengua nativa. El video les ayuda a apreciar varios aspectos de la cultura de diferentes países que han estudiado en *¡Buen viaje! Nivel 3,* su libro de texto. También van a aprender muchísimo sobre la lengua española y la gente que la habla.

Jocelyn

Al principio, estos programas pueden parecer un poco difíciles de comprender. Primero, muchas veces no ven a la persona que habla. Por ejemplo, mientras hablo ahora, Uds. están mirando a dos personas bailando el tango. Tienen que escuchar muy bien y usar lo que ven para comprender lo que oyen.

Federico

También van a escuchar a personas que hablan con varios dialectos con diferentes ritmos de pronunciación. No se preocupen. Jocelyn y yo vamos a introducir cada programa para orientarles a la información más importante.

Jocelyn

Vamos a practicar con esta publicidad para el AVE. Escuchen bien: nos informa de cuánto tiempo se necesita para viajar de Madrid a Sevilla.

Narrador de AVE

AVE: Madrid-Sevilla. Directo en sólo dos horas, 15 minutos.

Jocelyn

¿Comprendieron cuánto tiempo se necesita? Sí, dos horas y quince minutos.

Federico

Ya han visto que los videos contienen muchos detalles visuales que les ayudan a comprender. También van a ver cada programa varias veces, usando el cuaderno de actividades de video como guía de comprensión.

Jocelyn

Si a veces no entienden palabras y expresiones que oyen, no se preocupen, ¡es natural! Cuando escuchan un programa de televisión, lo importante es el mensaje. Van a ver cada programa varias veces con la ayuda del libro de actividades. Si combinan lo que ven los ojos con lo que oyen los oídos, no tendrán ningún problema en comprender la información más importante.

Federico

¡Y la práctica que les ofrece este video les
enseña a entender muy fácilmente a cualquier
persona que habla español y también,
programas de televisión y películas de cine!

Jocelyn

Bueno, Federico. ¡Ya es hora de comenzar!
¡Vámonos! *¡Buen viaje!*

VIDEO ACTIVITIES BOOKLET
Copyright © Glencoe/McGraw-Hill

CAPÍTULO 1

Machu Picchu

NARRATORS: *Jocelyn Martinez, Diana Sánchez*
INTERVIEWED: *Jorge, Marta, Ana*

Jocelyn

Viajamos primero al Perú para visitar la antigua ciudad de los incas, Machu Picchu. En este programa, Diana Sánchez nos explica tres aspectos de estas ruinas: primero, el sistema de organización de la ciudad; segundo, la importancia de las muchas escaleras para este sistema; y tercero, la importancia de este sistema de organización.

Diana también entrevista a tres jóvenes de Argentina: Jorge, Marta y Ana, que nos hablan de los detalles de su llegada a Machu Picchu. Jorge también nos explica sus planes para viajar a la selva del Brasil.

Diana Sánchez

El diseño de Machu Picchu impresiona hoy aún al más sofisticado planificador urbano. Gran sorpresa se llevó sin duda el investigador norteamericano, Hiram Bingham, al descubrir una ciudad que refleja el alto grado de organización y estructuración desarrollado por los incas.

La ciudad de Machu Picchu está dividida en barrios para diferentes estamentos sociales: de agricultores, artesanos, intelectuales, guerreros y sacerdotes. La rodean terrazas donde los incas sembraban sus propios alimentos para no depender del mundo exterior. Todo el espacio urbano está serpenteado de escaleras. Hay más de cien. Un miembro de la expedición de Bingham contó casi cuatro mil escalones en todo el conjunto. La escalera mayor divide la

ciudad en dos. Otras escaleras la dividen en
cuartas partes.

Aquí en Machu Picchu nos hemos encontrado
con un grupo de jóvenes aventureros[1] que han
llegado a las ruinas por el Camino Inca.

[1] These three young people are from Argentina.

Jorge

Salimos hace tres días, el lunes. Hoy es jueves, y
salimos del kilómetro ochenta y ocho[2] en que
nos deja el tren que viene de Cuzco; así es que
llegamos a Machu Picchu.

[2] Most people take a bus from the bottom of the hill
where the train drops passengers off; this group opted to
hike along the Camino Inca.

Marta y Ana

Caminamos de ocho a ocho.

Ana

Nosotros éramos un grupo de como catorce,
más o menos; argentinos, americanos, chilenos,
irlandeses...

Diana

¿Piensan realizar este tipo de aventuras por
otras partes del Perú?

Jorge

Yo estaba pensando hacer Iquitos[3]-Manaos, por
el Amazonas, pero estoy ahí, valorando el
tiempo y el dinero que costaría; pero me
gustaría mucho. Pero... ¡quiero ir a la selva!

[3] Iquitos is in northeastern Peru; Manaos is in northern
Brazil.

Diana

Para quien la visita por primera vez, Machu
Picchu es un espectáculo sobrecogedor, único,
incomparable. Para quien regresa llamado por
su mítico encanto, es siempre una emocionante
y atractiva experiencia. Para quien la mira con
ojos de científico, para el arqueólogo, para el
urbanista o el arquitecto, es la comprobación
vivencial de que los incas fueron una muy
avanzada civilización con un sobresaliente
grado de desarrollo.

VIDEO ACTIVITIES BOOKLET
Copyright © Glencoe/McGraw-Hill

CAPÍTULO 1

El Bazar Sábado

NARRATORS: *Federico Fajardo, Narrador*
CHARACTERS: *Ignacio Romero*

Federico

Una de las atracciones más interesantes al viajar a los países donde se habla español, es ver la variedad de artesanía que ofrece cada país. Al visitar el Distrito Federal de México, vale la pena visitar el Bazar Sábado. Lo más importante es hacer planes para verlo, ya que sólo abre un día a la semana: el sábado.

Este video nos ofrece una vista de todo lo que se vende en el Bazar Sábado. Nos presenta al fundador de este mercado único, el señor Ignacio Romero, quien nos habla de cómo llegó a ser suyo. También el video nos explica la misión de este centro comercial. ¡Vamos de compras al Bazar Sábado!

Narrador

Todo comenzó con la idea de mantener la calidad y la producción del valioso trabajo de los artesanos de la ciudad de México y recuperar de paso la antigua tradición indígena del tiánguez[1] o día del mercado. Este proyecto que debía durar tres meses, resultó en una labor que ya lleva 32 años y tiene nombre propio: el Bazar Sábado.

El Bazar Sábado sólo abre sus puertas un día en la semana, y es precisamente el sábado, de ahí su nombre. Un promedio de 15.000 visitantes aprovechan el horario del bazar que se inicia a las diez de la mañana y termina a las siete de la noche para recorrer las numerosas galerías artesanales y hacer sus compras.

---

[1] *Tiánguez* is an indigenous word, most likely from the *nahautl* language, referring to the tradition in which many groups of vendors come together one day each week to buy and sell their wares.

Ignacio Romero, fundador del Bazar Sábado, nos cuenta cómo hace 28 años encontró el lugar ideal para establecer definitivamente su tiánguez.

Ignacio Romero

Me dediqué por las calles de San Ángel a caminar y encontré esta bella, ¡bellísima! mansión, totalmente abandonada. Tocaba yo a la puerta todos los días y después de unas semanas vino un... a abrirme un anciano, un anciano, yo creo que más de cien años, que se ve mucho por esta zona, que venía a regar las plantas de vez en cuando. Le pedí permiso para entrar; vi esta maravilla de patio; no lo pude creer, me pareció casi imposible de adquirirlo. Pregunté quiénes eran los dueños, busqué a la familia, los dueños. En dos meses, ¡esta casa era nuestra!

Narrador

Y así fue, el siete de enero de 1965 se inauguró la restaurada casona del Bazar Sábado facilitando la participación de un numeroso grupo de artesanos.

Pero este trabajo artesanal[2] no sólo tiene un sentido comercial, pues la idea de los creadores del bazar es colocar esta parte importante de la cultura mexicana en los hogares de todo el mundo.

[2] The items for sale at the *Bazar Sábado* are from all over Mexico. You might find silver from Taxco or black pottery from Oaxaca, for example.

VIDEO ACTIVITIES BOOKLET
Copyright © Glencoe/McGraw-Hill

CAPÍTULO 1
Medios de transporte

NARRATORS: *Jocelyn Martinez, Narrador, Locutora del tren*
CHARACTERS: *Don Rodrigo, Don Julio*

Jocelyn

Cuando se decide viajar, la próxima decisión es «cómo». Uno de los factores que influye mucho en esta decisión es el tiempo disponible que uno tiene para viajar. Para atraer a viajeros, los varios medios de transporte hacen publicidad. Vamos a ver tres anuncios publicitarios de España: uno de RENFE, otro de AVE y el tercero, de Iberia. Los tres ponen mucho énfasis en el tiempo y su importancia para el viajero. Presten atención a lo que dicen sobre el tiempo.

RENFE
Narrador

No dejes para mañana lo que puedas hacer hoy.[1] Más vale prevenir que lamentar.[2] A quien madruga, Dios le ayuda.[3] Corra a su agencia de viajes o a los puntos de venta RENFE, y reserve ya su billete.[4]

AVE
Locutora

Les comunicamos que el tren llegará a su destino con seis minutos de retraso.

[1] This is equivalent of the English proverb "Don't put off until tomorrow what you can do today." It contradicts the stereotype that all Spanish-speakers suffer from the *mañana* syndrome, considering time unimportant.

[2] A close English approximation to this proverb is "Better safe than sorry." The words *evite colas* which appear just after this proverb refer to the expression *hacer cola*, meaning "to stand in line" or "to line up."

[3] The English equivalent of this proverb is "The early bird catches the worm."

[4] The words *largo recorrido* that appear above the AVE logo refer to standard long distance train travel offered by RENFE, the Spanish rail system. AVE itself refers to high-speed trains that are reserved for special runs such as Madrid–Sevilla.

Narrador

Si alguna vez[5] su AVE llega con más de cinco[6] minutos de retraso, le devolvemos el importe total de su billete, aunque dudamos mucho que se vaya a llevar esta alegría.[7]

IBERIA

Don Rodrigo

Las doce...[8]

Don Julio

...en punto.

Don Rodrigo

La una...

Don Julio

¡Cómo pasa el tiempo!

Don Rodrigo

Las tres...

Don Julio

La hora de comer.[9]

Narrador

Según la Asociación Internacional del Transporte Aéreo (IATA), Iberia es una de las líneas aéreas más puntuales del mundo.

Don Rodrigo

¡Llegas tarde!

Narrador

Iberia. Mucho más que volar.

[5] The woman with the striped scarf seen briefly is an employee of RENFE, an assistant to passengers.

[6] The running caption seen on the bottom of the screen reads: *A partir del 11 de septiembre siempre que el retraso sea imputable a AVE-RENFE.* This is a disclaimer telling when the refund policy begins and explaining that delays must be the fault of AVE-RENFE in order for passengers to get their refunds.

[7] The expression *Sube más alto* beneath the AVE log is RENFE's slogan, roughly equivalent to "Ride the best."

[8] The two older gentlemen are wearing *boinas,* a kind of beret seen typically, although not exclusively, in northern Spain.

[9] In Spain, it is still customary to eat the main meal of the day at around 3:00 p.m. especially in rural areas.

VIDEO ACTIVITIES BOOKLET
Copyright © Glencoe/McGraw-Hill

CAPÍTULO 2

Biblioteca viajera

NARRATORS: *Jocelyn Martinez, Narradora*
CHARACTERS: *Beatriz Morales, Carlos Rivera, Carmen Fonseca*

Jocelyn

El libro: la base de la educación formal. En algunos países de Latinoamérica, como el Ecuador, donde más de la mitad de la población vive en áreas rurales o urbano-marginales,[1] es difícil encontrar libros. Sin libros, hay muy poca educación formal. En el Ecuador, el Sistema Nacional de Bibliotecas, que se llama el SINAB, emplea la biblioteca viajera para llevar los libros adonde se necesitan. En este video vemos cómo los libros llegan a los estudiantes de primaria y secundaria que no tienen su propia biblioteca. También vemos cómo se usan varios métodos de animación para estimular la lectura.

Ven Miguelito, vamos de visita con la Biblioteca Viajera.

Narradora

Desde 1987, el Sistema Nacional de Bibliotecas (SINAB) viene realizando la labor de imple-mentación y equipamiento de bibliotecas populares[2] y centros de lectura en las comunidades urbano-marginales y rurales de nuestro país.

Su objetivo principal es el de motivar y elevar el nivel de lectura de nuestra población a través de una educación no formal y motivacional que permita obtener una comprensión crítica y reflexiva de nuestra realidad.

[1] The term *urbano-marginales* refers to areas that spring up on the outskirts of major urban centers such as Quito. These are most often inhabited by rural dwellers who have come to the city seeking a better life. Government usually allows squatters' rights in these areas, but they struggle to provide the people with basic services such as electricity, water, sewage, schooling, and mail delivery.

[2] The sign seen at this point announces that SINAB is a project of the *Ministerio de Educación y Cultura*, a national ministry equivalent to the U.S. Department of Education.

VIDEO ACTIVITIES BOOKLET
Copyright © Glencoe/McGraw-Hill

Beatriz es una de las promotoras del SINAB encargada de motivar a los niños a través de la llamada «caja viajera», que contiene de 50 a 80 libros de cuentos y relatos de variados temas de interés para los pequeños. Ésta es llevada a todos los centros de lectura donde los niños, luego de leer uno de los cuentos, entre otras actividades, pintan los personajes, poniendo su propia creatividad, motivándose así a la lectura.

Carlos Rivera

... Los bigotes... medios muertos... de...

Narradora

En los sectores urbano-marginales, el SINAB ofrece un espacio idóneo[3] para estimular el uso libre y agradable del libro a través de técnicas no formales de animación a la lectura como juegos infantiles, títeres, horas de cuento, lecturas colectivas y dramatizaciones dirigidas especialmente a niños y jóvenes.

Carmen Fonseca

En el libro yo encuentro los sentimientos, la realidad como es en la vida. Encuentro también fotografías muy lindas.

Narradora

El SINAB ha logrado una real motivación por la lectura.

[3] At this point there is a brief glimpse of a rural primary school classroom in Ecuador.

VIDEO ACTIVITIES BOOKLET
Copyright © Glencoe/McGraw-Hill

CAPÍTULO **3**

Carnaval de Oruro

NARRATORS: *Jocelyn Martinez, Narradora*
INTERVIEWED: *Bailarín*

Jocelyn

¿Quieren ver una maravillosa celebración de carnaval? Entonces vamos ahora a Oruro, capital folklórica de Bolivia. Vemos a unos diez mil danzarines agrupados en 44 comparsas. Esta celebración pagano-religiosa se dedica a la Virgen del Socavón y al Diablo o Tijuy, guardián de las minas de plata y estaño.

Vamos a aprender algo de tres comparsas especiales: Las Diabladas, Los Caporales y Las Cholitas. También nos informaremos más de los disfraces, de quiénes participan en los desfiles, y cómo se preparan para esta celebración carnavalesca. ¡Qué se diviertan!

Narradora

Todos los meses de febrero, desde tiempos inmemoriales, la ciudad minera de Oruro, al sur de La Paz en Bolivia, no ha dejado de asombrar al mundo con su fastuoso carnaval de raíces indígenas. Una fiesta pagano-religiosa donde se adora por igual a Nuestra Señora de la Candelaria o Virgen del Socavón, y al Diablo o Tijuy, guardián de las minas de plata y estaño.

En una demostración folklórica única en su género, desfilan durante horas, más de 40 comparsas entre las que se destacan Las Diabladas o grupos de diablos que, acompañados por un ángel, representan la eterna lucha entre el bien y el mal.

Los lujosos disfraces de grupos como estos, son alquilados anualmente por cada bailarín. Están bordados en oro y plata y pueden llegar a costar hasta 30.000 dólares por comparsa.

Bailarín

Bueno, varía; es de acuerdo al modelo del traje. Varía, entre 70 bolivianos a 150 bolivianos.

Narradora

Asediando a los morenos, danzan Los Caporales o Capataces de las haciendas españolas cuyo baile, uno de los más extenuantes, es también el más reciente del carnaval y, por lo tanto, el de la juventud. El toque femenino lo ponen Las Cholitas, coqueteando durante todo el trayecto.

En el carnaval de Oruro no hay diferencias de clase, nivel social o edad. Los niños aprenden los pasos desde pequeñitos. Cumpliendo la promesa echa a la Virgen del Socavón de participar en el carnaval durante tres años consecutivos, los bailarines se preparan durante meses para lograr recorrer tres y medio kilómetros[1] de danza ininterrumpida.

[1] This is the equivalent of a little over two miles.

El entusiasmo contagioso y una profunda fe que llena aún a los más jóvenes, son los ingredientes que han mantenido viva la tradición de uno de los más coloridos espectáculos carnavalescos de América del Sur.

VIDEO ACTIVITIES BOOKLET
Copyright © Glencoe/McGraw-Hill

CAPÍTULO 3

El tango

NARRATORS: *Federico Fajardo, Jocelyn Martinez, Martín Murphy*

Federico

La Argentina, ¿un país europeo o latinoamericano? ¡Los dos! La Argentina siempre ha sido la capital europea del continente sudamericano; famosa por sus gauchos de la pampa, su parrillada deliciosa...

Jocelyn

¡Y el tango! Este programa nos lleva a la Argentina a fines del siglo XIX para ver cómo y dónde nació el tango. Se ve cómo se mezclaron las influencias europeas con las de la cultura del Río de la Plata en los bares del puerto.

Federico

También nos enseña cómo el tango se convirtió en la gran danza de elegantes salones de baile. Jocelyn, ¿vamos a bailar?

Federico

Nació como expresión de las afueras. Se originó por el año 1880. Reflejó la vida animada del puerto. Es una melodía contagiosa y juguetona. Es la canción de Buenos Aires. ¡Es el tango!

Martín

Al conocer la ciudad de Buenos Aires se ve la alegría que dio a luz al tango, que hoy es el estandarte y símbolo de la capital argentina ante el mundo.

Buenos Aires se considera la París Sudamericana. Su apariencia y ambiente europeos son
la consecuencia lógica de haber aceptado a
muchos inmigrantes del viejo continente. Ingle-
ses, franceses, griegos, alemanes, españoles,
polacos y sobre todo italianos, crearon una
ciudad que refleja las grandes capitales europeas. Un buen ejemplo de esta concepción
urbana se ve en la Avenida 9 de julio de Buenos
Aires, la cual se considera la más ancha del
mundo.

Vayamos ahora a uno de los barrios más tradi-
cionales de Buenos Aires, situado en las orillas
del río y en cuyos bares se originó el tango.
Aquí, a finales del siglo XIX, llegaban inmigrantes europeos en busca de fortuna. Aquí, en
cafés y patios para danzar, nació una melodía
llena de rebelión e ilusiones, el tango marginal,
hijo natural de la ciudad y de la noche.

Sin embargo con el paso del tiempo, el tango
llegó a los grandes salones de la aristocracia de
Buenos Aires. En muy pocos años, el tango se
conoció por el mundo entero; se convirtió en el
baile de traje de etiqueta.

La época de la década de los 40 representa para
el tango su época dorada. Y siguió como sueño
de un mundo de pasiones que no se hablan y de
ojos que no lloran. También llegó a ser la danza
de caballeros elegantes y damas ricamente
vestidas en los grandes salones de baile.

VIDEO ACTIVITIES BOOKLET
Copyright © Glencoe/McGraw-Hill

CAPÍTULO 4

Una boda cubana

NARRATORS: *Federico Fajardo*

CHARACTERS: *Sacerdote, Miguel, Celeste, Anunciador*

Federico

A todo el mundo le encanta asistir a una boda. El matrimonio de dos personas siempre es un momento especial para toda la familia y sus amistades. Vamos a viajar a Miami, donde podemos ver que las tradiciones de los rituales familiares se conservan aún en los Estados Unidos. Vamos a ver a los novios, Miguel y Celeste, en una ceremonia religiosa en la cual el sacerdote emplea lenguaje muy formal. Presten mucha atención para ver una costumbre cubana que refleja cómo los novios van a compartir los bienes materiales. También estamos invitados a asistir a la recepción donde sí podemos divertirnos.

¡Vístanse bien para la boda![1]

Sacerdote

Bienvenidos todos a esta celebración del Santo Matrimonio y les invito ahora a todos juntos a orar por los que van a ser esposos dentro de unos momentos.

¿Estáis[2] decididos a amaros y respetaros mutuamente durante toda la vida?

Miguel y Celeste

Sí.

[1] Traditionally, a bride's father escorts her down the aisle to meet her husband-to-be. The young man we see escorting Celeste at the beginning of her wedding is most likely her brother.

[2] Miguel and Celeste are being married in the Catholic Church. The priest uses *vosotros* forms of verbs when addressing both the bride and groom or the congregation. He uses *tú* forms when addressing the bride or the groom individually. This informal manner of address from Spain is traditional in Catholic ceremonies.

Sacerdote

Así, pues, ya que queréis contraer Santo Matrimonio, unid vuestras manos y manifestad
vuestro consentimiento ante Dios y su Iglesia.
Miguel, ¿quieres recibir a Celeste como esposa
y prometes serle fiel en las alegrías y en las
penas, en la salud y en la enfermedad y así
amarla y respetarla todos los días de tu vida?

Miguel

Sí quiero.

Sacerdote

Celeste, ¿quieres recibir a Miguel como esposo
y prometes serle fiel en las alegrías y en las
penas, en la salud y en la enfermedad y así
amarle y respetarle todos los días de tu vida?

Celeste

Sí, quiero.

Sacerdote

Que el Señor que hizo nacer en vosotros el
amor confirme este consentimiento mutuo que
habéis manifestado ante la Iglesia. Lo que Dios
ha unido, que no lo separe nunca. Que el Señor
bendiga estos anillos que vais a entregaros el
uno al otro en señal de amor y de fidelidad.

Miguel (repite)

Celeste, recibe este anillo en señal de mi amor y
fidelidad.

Celeste (repite)

Miguel, recibe este anillo en señal de mi amor y
fidelidad.

Sacerdote

El matrimonio es una vida compartida y los
bienes materiales también son compartidos.
Esto se simboliza ahora con la bendición y
entrega de unas arras[3] o monedas que van a
ser también bendecidas.

[3] In this Cuban tradition, the groom gives the bride gold
coins to indicate that, as her spouse, he will share all his
material goods with her.

VIDEO ACTIVITIES BOOKLET
Copyright © Glencoe/McGraw-Hill

Miguel (repite)

Celeste, recibe estas arras como prenda de la bendición de Dios y signo de los bienes que vamos a compartir.

Sacerdote

Todos los congratulamos y felicitamos a los nuevos esposos y la asamblea de amigos y parientes puede significar eso con un aplauso mientras se dan su primer beso.

Anunciador

En este momento hacen la entrada al salón los nuevos esposos, Miguel y Celeste Fajardo, al cual todos le pedimos que le brinden un fuerte aplauso.

En este momento ellos bailarán su canción de boda, un vals muy tradicional y elegante que lleva por título «El emperador».

Bueno, ahora vamos a la de la verdad. ¡A la una, a las dos y a las tres!

CAPÍTULO 4

La quinceañera

NARRATORS: *Jocelyn Martínez*
CHARACTERS: *Anunciadora, Cantante*

Jocelyn

Tal vez el día más importante en la vida de una señorita hispana es el día de su quinceañera,[1] una fiesta muy tradicional. Jessica nos ha invitado a asistir a su celebración. Nació en New Jersey y vive ahora en Miami. Es completamente bilingüe. Esta señorita tradicional celebra su fiesta de quince años al estilo hispano. Uno de los momentos más emocionantes de la ceremonia es la presentación al público de la señorita. El papá la acompaña y le dedica unas palabras especiales. ¡Vamos ahora a celebrar la quinceañera de Jessica!

Cantante

Yo no sé... por qué me siento hoy tan diferente... por qué no quiero nada con la gente... qué será... yo no sé...

... por qué mi cuerpo cambia en un día...

Anunciadora

Jessica, ante Uds. esa linda melodía que lleva por título «Europa».

Jessica, presta atención lo que te voy a decir porque estas palabras tu papá te las dedica:

Jessica, en este día de tu cumpleaños unas palabras quiero dedicarte: pon a Dios ante todas las cosas, conserva siempre tu alegría y simpatía hacia tu familia y amistades; que el recuerdo de esta noche tan preciosa lo guardes siempre en tu corazón. Tus padres se sienten muy orgullosos de ti y con mucho amor te deseamos un feliz cumpleaños. Tu papá, Rigoberto.

[1] The celebration for a *quinceañera* might be likened to a traditional debutante ball in the U.S. Several customs are observed. The *quinceañera* is accompanied by a court of young men and women dressed alike. She is presented by the male members of her court and then stands alone, ostensibly for the public to see the young woman she has become. The father's words also tend to be traditional. In this case, Rigoberto reminds his daughter of her duties to God, family, and friends, in that order. Later, the young men and women of the court dance a cotillion, demonstrating the European influence present in the celebration.

VIDEO ACTIVITIES BOOKLET
Copyright © Glencoe/McGraw-Hill

Muy lindo, un aplauso para ese orgulloso papá
y esta linda quinceañera en un día tan especial
como éste.

Bueno, vamos a conocer un poquito a Jessica,
nuestra quinceañera. Nació un cuatro de junio,
un día como hoy, en 1979, a las 4.44 de la tarde,
en New Jersey. Cursa sus estudios en Gulliver
Preparatory y está en el noveno grado. Es
sumamente responsable en sus estudios y lo ha
demostrado a través de los años, siendo una
estudiante excelente. Jessica es una jovencita
asentada, quizás un poco madura para su edad,
dulce, alegre, amiga de sus amigas y siempre
dispuesta a ayudar al prójimo.

… un fuerte aplauso para nuestra linda
quinceañera, Jessica.

CAPÍTULO 5

La ruta de Colón

NARRATORS: *Jocelyn Martinez, Narradora,*
Narrador, Martín Murphy

Jocelyn

En 1992 se celebró el Quinto Centenario[1] de la llegada de Cristóbal Colón al Nuevo Mundo. Para conmemorar ese viaje que cambió para siempre la historia del mundo, surgieron varios programas que describieron lo que de verdad pasó en esa época.

En este video, vamos a ver los sitios por donde pasó Colón para conseguir el apoyo financiero de los Reyes Católicos. También veremos el sitio en la República Dominicana al cual llegaron Colón y su tripulación. A ver, ¿qué descubren Uds. en cuanto a este hecho histórico?

Narradora

Estamos al pie del Hotel San Caso, en la playa de Puerto Chiquito de Puerto Plata, República Dominicana. Como pueden observar, no por gusto Cristóbal Colón quedó maravillado cuando llegó a estas tierras por primera vez. Y esto también es parte de la ruta del Quinto Centenario.

Narrador

Volvamos al principio de la historia.[2]

[1] Many celebrations and events made up the *Quinto Centenario* in 1992, including re-enactments of the voyage of Columbus, as portrayed by the scenes of sailing ships in this video segment.

[2] The singing heard here is called *cante jondo*, which forms part of flamenco music from Andalucía, in southern Spain.

VIDEO ACTIVITIES BOOKLET
Copyright © Glencoe/McGraw-Hill

Martín Murphy

Viajemos con nuestra imaginación al Año del Señor de 1484 y situémonos aquí mismo, en este locutorio del convento de La Rábida, en Huelva, España, a unos 100 kilómetros de Sevilla. Desde sus ventanas se divisa el golfo de Cádiz; seis kilómetros más allá, está la frontera de donde partirá Colón.

En 1484, Cristóbal Colón, llevando de la mano a su hijo Diego, de cuatro años, llegó al convento de La Rábida para discutir con Fray Juan Pérez y con Fray Antonio de Marchena los planes para el descubrimiento de un mundo nuevo. En esta sala nació el encuentro de dos culturas, o lo que ustedes llaman, el descubrimiento del Nuevo Mundo.

Después de hablar con Colón sobre sus ideas para viajar al Oriente, los dos frailes convencieron a los Reyes Católicos de España que debían recibir a Cristóbal Colón. Pero durante siete años, Colón recibió la negativa de la comisión real. Colón, decepcionado, decidió ir a probar suerte ante el rey de Francia, pero no sin antes hablar otra vez con Fray Antonio de Marchena en el convento de La Rábida.

Mientras Colón estaba en Francia, Fray Antonio de Marchena fue a ver a la reina Isabel rápidamente. ¿Por qué los reyes decidieron esta vez mandar a buscar a Colón? Es un misterio que la historia todavía no ha podido descifrar. Los mensajeros de los Reyes Católicos lo encontraron en Francia y lo llevaron otra vez a hablar con la reina Isabel y su esposo, Fernando. Finalmente en 1492, los Reyes Católicos y los judíos conversos de la corte ayudaron a Colón a financiar su sueño de viajar al oeste y encontrar un camino más corto hacia el Japón y la China. Uds. ya saben el resto de esta historia.

CAPÍTULO **5**

El Museo de la Revolución

NARRATORS: *Federico Fajardo, Narrador*

Federico

Vamos ahora a la ciudad de México para visitar el Museo de la Revolución Mexicana. Esta revolución comenzó en el año 1910 como reacción contra la dictadura de Porfirio Díaz. Esta película auténtica de la Revolución fue filmada por periodistas internacionales.

El museo indica que las raíces de la Revolución comenzaron con los cambios sociales que hizo el primer presidente indígena, Benito Juárez, elegido en 1867. También enseña la represión que comenzó con el próximo presidente, el dictador Porfirio Díaz. Vamos ahora al Museo para aprender más sobre los detalles de la Revolución Mexicana.

Narrador

Otro museo que recoge los acontecimientos de finales del siglo diecinueve y los inicios del siglo veinte, es el Museo Nacional de la Revolución. Aquí, las artes plásticas dan paso a la historia, a un período particular que cambió el rumbo de la vida mexicana.

Construido bajo el portentoso Monumento a la Revolución, ubicado en el centro de la ciudad, muy cerca de la gran avenida Paseo de la Reforma, este museo recopila cincuenta años de la historia de México. El interesante recorrido por este centro histórico se inicia en el año 1867 cuando Benito Juárez[1] consolida la República Mexicana.

[1] The first indigenous president of Mexico.

VIDEO ACTIVITIES BOOKLET
Copyright © Glencoe/McGraw-Hill

Hasta finales del siglo pasado, el país era pre-
dominantemente agrícola, pero con los gobiernos liberales de Juárez y Porfirio Díaz, se inicia
el proceso de industrialización.

Treinta años duró Porfirio Díaz en el poder. En
el Museo se puede apreciar una forma de expresión que fue muy común durante el período
de 1906 a 1913: la caricatura. A través de ella se
expresaba el sentir del pueblo y las situaciones
en que se vieron envueltos personajes como
Francisco Madero, Pancho Villa y Emiliano
Zapata.

El período de 1913 a 1917 fue de continuas y
sangrientas luchas populares. Estos hechos
quedaron registrados en fotos, documentos y
otro tipo de artículos que permiten conocer
fielmente el pasado de la República Mexicana.

CAPÍTULO 6

La fiesta mexicana

NARRATORS: *Federico Fajardo, Narradora*
CHARACTER: *El dueño del pajarito*

Federico

¡Cuánto me gusta la comida mexicana! ¡Qué sabrosa! ¡Y tanta variedad! Tal vez, de todos los países de habla hispana, no hay ninguna fiesta más alegre que una fiesta mexicana. A los mexicanos les gusta mucho gozar de la buena vida con comida abundante, música de varias regiones del país y todo tipo de diversión.

En este video, vamos a visitar al restaurante El Arroyo, en las cercanías del Distrito Federal. Allí van muchas familias mexicanas, especialmente los fines de semana. Pasan toda la tarde gozando tanto de la barbacoa,[1] especialidad del restaurante, como de la música y de lo bueno que es estar entre familia. Fíjense en las otras diversiones también, especialmente ¡el pájaro que dice la fortuna!

Narradora

Se trata de la barbacoa, un producto de nuestra cultura mestiza, ya que para crearla fue necesaria la introducción del borrego[2] en tierras mexicanas por parte de los españoles. Por parte de los mexicas[3] se aportaron los métodos de cocinar y las hojas de maguey que le dan a la barbacoa su exquisito sabor y delicado aroma.

Se acomodan los bultos preparados a la manera tradicional con carne de cordero sazonada con sal natural de grano y acomodada en capas, entre hojas de aguacate, todo ello envuelto en hojas de maguey.

[1] Here we show how the *tortilla* is used to pick meat from the serving dish. People wrap it in the tortilla like a mini-sandwich, and then place it in the mouth. This is a very common way to eat *barbacoa* in Mexico.

[2] *Borrego* is a synonym for *cordero*, used for yearlings, or lambs that are about a year old.

[3] *Mexica* (pronounced meh-SHE-ka) is a very old indigenous name for the early settlers of Mexico City.

VIDEO ACTIVITIES BOOKLET
Copyright © Glencoe/McGraw-Hill

Por si todo esto fuera poco,[4] la fiesta mexicana incluye variedad.[5] Se disfruta de la música y el baile. Todo esto refleja las más puras tradiciones de nuestro pueblo. Participan cantantes, bailarines y grupos de música folklórica. Durante el evento la gente se une en un cálido ambiente de fiesta. Aquí todos pueden integrarse al ambiente festivo típico de México.

También hay grupos jarochos,[6] norteños,[7] mariachis y tríos[8] que ofrecen sus servicios a petición de los que concurren a la fiesta. Otras tradiciones que contribuyen al ambiente de fiesta mexicana son la presencia en el restaurante de personajes típicos populares como el organillero, el merenguero,[9] el pajarito que nos adivina la suerte sacando papelitos de colores donde se anuncian las promesas del futuro.

Dueño del pajarito

Saca el papelito. Ándale, ¿qué pasó contigo? Muy bien, pajarito.

A ver, señorita.

Narradora

Todo esto contribuye a una fiesta al estilo mexicano.

[4] The young man seen at this point is serving fruit drinks that have been mixed in large glass jars.

[5] The musicians seen on the stage dressed in beige are *mariachis*. It is said this word comes from the French *marriage*, which is likely, since France ruled for a time what is now Mexico, and such musical groups often played at wedding parties, or *marriages*.

[6] *La música jarocha* is from the Veracruz area, near the eastern seaboard. *Jarocho* musicians usually dress in white with a red bandana around the neck. The popular song "La bamba" originated from this regional music.

[7] *La música norteña* has North American influence, from along the U.S.-Mexican border.

[8] Trios commonly perform in Mexican restaurants, serenading the customers from table to table.

[9] As his job title implies, the *merenguero* sells *meringues*, white, airy desserts made primarily from beaten egg whites and sugar. They are usually made outside the restaurant. It may seem odd to us that someone brings food made elsewhere to sell in a restaurant, but the practice is another part of the atmosphere of *fiesta*.

CAPÍTULO **6**

Tesoros olvidados

NARRATORS: *Federico Fajardo, Narradora*

CHARACTER: *Fernando Varea, La dueña de la tienda de antigüedades*

Federico

¡A mí me fascinan las antigüedades! Me gusta imaginarme de dónde vienen, quiénes eran sus dueños y qué tipo de vida llevaban antes.

A Fernando Varea, un joven de Quito, la capital del Ecuador, también le apasionan las antigüedades. ¡Qué sorpresa se llevó Fernando al descubrir que el viejo baúl que encontró en una tienda de antigüedades le había pertenecido a su propia tatarabuela! ¡La abuela de su abuela! Vamos ahora a viajar al pasado para aprender más de esta historia tan extraña.

Narradora

Cierto día, hace pocos meses atrás, Fernando, un muchacho de quince años, después de realizar sus tareas colegiales, sale a pasear algunas veces con sus amigos, otras veces sólo, pero esta vez prefirió salir con su madre para adquirir en este almacén del bosque una antigüedad que desde hace algún tiempo lo tenía obsesionado.

Deambular en un almacén como éstos es para Fernando como viajar en el tiempo. Puede pasar horas y horas imaginando cómo fueron construidos estos disímiles objetos o fantaseando sobre quiénes pudieron ser sus propietarios.

VIDEO ACTIVITIES BOOKLET
Copyright © Glencoe/McGraw-Hill

Pero nada de estas reliquias es tan importante como este viejo baúl. Una fuerza extraña lo atrae. Es este viejo mueble su obsesión.

Su madre para persuadirlo, le dijo que eso era un armatoste feo y sin valor, pero Fernando había tomado una decisión.

Dueña

¿Cuál es tu nombre?

Fernando

Fernando Varea.

Dueña

Son 50.000.

Fernando

Aquí tiene.

Dueña

Fernando es un chico muy curioso. Le gusta investigar los artículos a ver de qué se trata, a quién pertenecieron. Y casi siempre todos los artículos tienen su historia.

Narradora

Ahora el vejestorio era suyo. Dos meses el baúl pasó en un rincón de la casa hasta que Fernando empezó a rasparlo en busca de algún indicio y ¡vaya coincidencia! El nombre que descubrió correspondía al de su tatarabuela, Doña Aurora Montufa y la fecha, 1892, al año de su muerte.

Ocultas en pequeños orificios estaban esta curiosidades: unas hermosas joyas. Buscó bajo las aldabas y las bisagras y seguían saliendo anillos y perlas. Pero el depósito mayor estaba en el doble fondo del baúl, envueltas en papeles que contienen tiernos mensajes maternales o las indicaciones de cómo reconstruir un prendedor.

Fernando

Seguí buscando más y en la tapa y en los bordes y más en el fondo empezaron a salir las joyas.

Narradora

No sabemos por cuántas manos pasó ni cuántos caminos recorrió, pero ahora por el azar o por lo que no es casualidad, estos jades, oros, brillantes y rubíes[1] pertenecen a un descendiente directo de Doña Aurora, en la quinta generación, su tataranieto Fernando, un muchacho que todavía sabe descubrir olvidados tesoros muy cercanos a la magia y la alegría.

[1] Gold and other jewelry is quite prized throughout Latin America, especially family heirlooms like those Fernando found hidden away in the old trunk.

VIDEO ACTIVITIES BOOKLET
Copyright © Glencoe/McGraw-Hill

CAPÍTULO 7

Aero-ambulancia

NARRATORS: *Jocelyn Martinez, Gustavo Yáñez, Narradora*

CHARACTERS: *Ana (primera recepcionista), María (segunda recepcionista), El doctor Sáenz, El doctor Ramírez*

Jocelyn

Viajamos ahora al Ecuador, donde la cordillera de los Andes hace muy difícil el transporte. En este país, sólo hay un médico por cada mil habitantes. Casi la mitad de la población vive en zonas rurales, lejos de las ciudades donde se encuentran hospitales modernos y médicos especialistas.

En este programa vemos cómo un avión puede transportar la medicina moderna a zonas remotas. Gustavo Yáñez, productor de televisión, acompaña al doctor Sáenz en la aero-ambulancia para transportar a Quito a un paciente herido en un accidente en Esmeraldas, un pueblo lejos de la capital.

Ana

Aero-ambulancia, a sus órdenes.

María

Necesito, por favor, que me envíes el avión ambulancia porque hay un paciente crítico.

Gustavo Yáñez

Un equipo de la televisión fue invitado por el servicio de ambulancias aéreas para rescatar un paciente crítico desde la ciudad de Esmeraldas.[1]

[1] Esmeraldas is a city on the northeastern coast of Ecuador, west of the western Andean range that marks the beginning of the valley in which Quito is located.

Narradora

El servicio de Aero-ambulancias Nacional cuenta con un equipo técnico capacitado para cualquier emergencia. Cumpliendo con los requerimientos del aeropuerto, en un avión aero-comander, nos dirigimos a nuestro objetivo: traer a un paciente gravemente herido en un accidente de tránsito desde Esmeraldas.

Mientras hacíamos nuestro viaje, en tierra, el personal logístico se encargaba de preparar y coordinar la evacuación del paciente. Una vez en Esmeraldas, una ambulancia esperaba por el médico y su equipo para dirigirnos a una clínica de la ciudad donde estaba el accidentado.

El doctor Sáenz

Buenos días, doctor.

El doctor Ramírez

Buenos días.

El doctor Sáenz

¿Cómo está? ¿De qué se trata?

Narradora

El médico recibió al paciente, y utilizando los más modernos equipos portátiles de diagnóstico, atiende, evalúa y procede a estabilizar al enfermo, decidiendo la manera en que éste debe ser transportado.

Usando un cuello ortopédico, se inmoviliza al herido. Medicándolo, se logró calmar sus dolencias. El oxígeno ayudó para su mejor respiración. Cumplidos los procedimientos, nos dirigimos nuevamente al aeropuerto.

El paciente se encontraba en estado de inconsciencia y la atención médica era rápida y permanente. El monitoreo continuo, su inmovilización y su inmediata instalación en la unidad de cuidados intensivos del avión, garantizaban su vida.

VIDEO ACTIVITIES BOOKLET
Copyright © Glencoe/McGraw-Hill

Dejamos Esmeraldas. Mientras despegábamos, el médico auscultó nuevamente al paciente, manteniéndolo siempre monitorizado e inclusive, en vuelo, le realizó un electrocardiograma.

A quince minutos de vuelo, el paciente mostró una dificultad respiratoria, por lo que el médico procedió en forma inmediata a realizar una intubación endotraqueal para una mejor asistencia respiratoria, con un respirador mecánico. Todo un hospital a tres mil pies de altura.

El doctor Sáenz

Hemos evacuado un paciente politraumatizado crítico con mucho éxito. Nosotros contamos con equipos muy sofisticados a la vez que con un arsenal de medicamentos muy grande y un personal de médicos especializados en cuidados intensivos.

CAPÍTULO 7

Mantenerse en forma

NARRATORS: *Federico Fajardo, Narradora*

Federico

Todos sabemos lo importante de mantenerse
en forma. Pero ¿qué se puede hacer si uno está
a bordo de un barco por meses y meses? Vamos
a ver lo que hacen unos marineros
ecuatorianos para mantenerse en forma
mientras están en alta mar.

Narradora

Los marinos[1] que han cumplido ya su tarea, se
dedican, en cubierta, al deporte. Durante la
travesía hay que mantenerse en forma, y los
treinta y tres tripulantes tienen cada uno su
manera especial de aprovechar el tiempo libre,
mientras el buque navega hacia su destino.

[1] These sailors are aboard an Ecuadorian tanker.

VIDEO ACTIVITIES BOOKLET
Copyright © Glencoe/McGraw-Hill

CAPÍTULO **8**

Las influencias árabes y africanas

NARRATORS: *Jocelyn Martinez, Narrador, Narradora*

Jocelyn

Hay muy pocas culturas europeas o latinoamericanas que no cuentan con la influencia de otros continentes. En este video, veremos cómo la permanencia de los árabes en la península ibérica por siete siglos, ha contribuido a la cultura contemporánea de España.

También veremos cómo los africanos, traídos por los españoles para trabajar la zona del mar Caribe, han contribuido mucho con sus ritmos de percusión a la danza moderna de muchos países latinoamericanos.

¡Vámonos!

LOS ÁRABES EN ESPAÑA

Narrador

A principios del siglo VII, un hombre de unos cuarenta años de edad, llamado Mahoma, comienza a predicar una nueva religión en Arabia, en las ciudades de Medina y La Mecca. Nada hacía suponer en aquellos momentos que el Islam iba a extenderse desde los Pirineos hasta la India en apenas cien años.

Narradora

Desde el año 630, los musulmanes conquistan Arabia, Irak, Siria, Palestina, Irán y el norte de África. Atraviesan el estrecho de Gibraltar en la primavera del año 711 y derrotan al ejército visigodo. En apenas cuatro años conquistan toda la península. En el valle del Ebro penetran en el año 714, tras haber sometido Sevilla, Córdoba y Toledo.

Los musulmanes construyeron de inmediato numerosas mezquitas. Las había en todos los centros urbanos. En las aldeas eran muy humildes y en las ciudades, numerosas.[1]

Durante el dominio islámico se desarrolla una considerable actividad económica. La artesanía y el comercio florecen de manera notable en las ciudades que se convierten en centros artesa-nales productores de diversas manufacturas, entre las que destacan: las del cuero, los tex-tiles, los tintes y la cerámica.

La agricultura reflejará logros extraordinarios; se ponen en cultivo nuevas tierras, se restauran las acequias romanas y la producción agrícola se multiplica de forma sobresaliente. Nuevos productos y nuevos sistemas de riego se incorporan a la agricultura del valle del Ebro.

LA INFLUENCIA AFRICANA

Narradora

El aporte de la cultura negra de origen africano, enriqueció grandemente el folklore de Ibero-américa. La dinámica de su percusión y de sus danzas se manifiesta en géneros musicales en casi todos los países de nuestro continente.

En el acerbo de las danzas peruanas, el aporte negroide se pone de manifiesto en el socavón y la zamacueca,[2] entre otras. Veamos la fuerza de la percusión y la riqueza expresiva de los movimientos, en este landó que nos interpreta en Lima el grupo Perú-Expresión.

[1] Most of the architectural scenes shown here are from what is now the autonomous region of Aragon, in northeastern Spain. Zaragoza, Huesca, and Teruel are some of Aragon's important centers.

[2] These are the names of two Latin American dances, both of which feature percussion.

VIDEO ACTIVITIES BOOKLET
Copyright © Glencoe/McGraw-Hill

CAPÍTULO **8**

Las influencias indígenas

NARRATORS: *Federico Fajardo, Narrador*

Federico

La ciencia moderna es estupenda. Con este telescopio, puedo ver a todos los planetas. Pero ¿pueden Uds. imaginarse que la ciencia de la civilización maya era tan avanzada que se podían ver los planetas por medio de un observatorio, sin el uso de ninguna máquina como ésta? En este video, vamos a Chichén Itzá para ver este observatorio tan avanzado.

También visitaremos a unos artistas que viven en las montañas del Ecuador. Todavía usan las técnicas de sus antepasados para ilustrar una vida que ha cambiado poco en los últimos 500 años.

¡Vámonos!

LA CIVILIZACIÓN MAYA

Narrador

Vamos a explorar el edificio maya de Chichén Itzá: aquí se ven las dos serpientes emplumadas. Lo fascinante de este templo, es que durante los dos equinoccios: el de verano, del veintiuno de marzo y el de invierno, del veintiuno de septiembre, se forma una serpiente entera por lo largo de la escalera. En estos dos días, la sombra del sol crea una serpiente que avanza hacia la cabeza de Quetztalcóatl o Kukulkán, el nombre que tenía este dios en el imperio maya.

Los mayas creían que este dios del viento desciende hacia la tierra en estos dos días del año para purificar a las personas que venían a este santuario sagrado.

Encima de este templo hay una torre llamada El Caracol. En realidad, es un observatorio astronómico. En la época de los mayas, el sacerdote subía a El Caracol y sin necesidad de los grandes telescopios que tenemos en nuestros días, podía identificar a Marte, a Saturno, a Júpiter, a Venus, y a las estrellas, sólo por medio de las aperturas que tiene el observatorio. También sabía calcular la rotación de la Tierra alrededor del Sol y, por lo tanto, cuántos días tenía un año, cuántas eran las fases de la Luna, en fin, todos los cálculos astronómicos que ellos necesitaban.

Todos estos cálculos eran necesarios para cultivar el maíz, su alimentación principal. Por eso, los mayas se llamaban «las civilizaciones del maíz».

ARTESANÍA INDÍGENA
Narrador

Por estos lares, por la parte más amplia de la cordillera occidental, en el cráter de un volcán extinguido, para no distorsionar el paisaje, encaja bien la laguna del Quilotoa: una de las más hermosas del Ecuador.

El silencio y la soledad se juntan para hacerse compañía. El paisaje embruja, el hombre quiere ver más. Al voltear la mirada, un grupo de indígenas con el rostro rojo quemado por el frío, sacan a la venta su arte: la pintura hecha en cuero de borrego y pintura acrílica, con la sencillez y timidez típica en el indígena del páramo. Regatea precios y explica todos los pormenores para plasmar este arte.[1]

---

[1] Many vendors of Quechuan ancestry wear hats. Each indigenous region, throughout the Andes in Ecuador, Peru, Bolivia and northern Chile and Argentina, has its own particular style of hat.

VIDEO ACTIVITIES BOOKLET
Copyright © Glencoe/McGraw-Hill

Su belleza se admira y se siente en el fondo
profundo de cada ser. En la pintura, han
marcado su tristeza, su melancolía, las alegrías,
las fiestas, los payasos, los caporales, las bandas
de pueblo, los borregos, las vacas. ¡Ellos mismos
convertidos en pintura!

Al indígena el clima no lo inquieta. Lo soporta
con total indiferencia.[2]

¡Vive alegre en este pedazo de su tierra!

[2] The *ponchos* shown are typical cold weather gear worn
by indigenous peoples in the various regions of the
Andes mountains.

Answer Key

CAPÍTULO 1: MACHU PICCHU

C 1, 3, 5

D 2

E
1. a
2. b
3. b
4. a
5. b
6. a

F
1. sí
2. sí
3. no
4. no
5. sí
6. sí
7. no
8. sí
9. sí
10. sí
11. sí
12. sí

G Answers will vary.

CAPÍTULO 1: EL BAZAR SÁBADO

C 1, 3, 4, 6

D
1. 35
2. 15.000
3. 10
4. 7
5. 1965

E
1. mercado
2. Ignacio
3. abandonada
4. anciano
5. patio
6. imposible
7. artesanos
8. hogares

F 1, 3, 6

G Answers will vary but should include the following information:
Las calles de San Angel; abierto solamente los sábados; abre a las 10 de la mañana; cierra a las 7 de la noche; pinturas, artesanías

H Answers will vary.

CAPÍTULO 1: MEDIOS DE TRANSPORTE

D
1. b
2. a
3. b

E
1. a
2. b
3. c
4. a
5. c
6. a
7. c
8. b
9. a
10. b

F
1. verdad
2. falso
3. falso
4. falso
5. verdad
6. verdad
7. verdad
8. falso
9. verdad

G Answers will vary but should include the following main ideas:
RENFE—Buy your tickets early.
AVE—We are very punctual; if we are not, we return your money to you.
IBERIA—We are one of the most punctual airlines in the world.

H Answers will vary.

I Answers will vary.

CAPÍTULO 2: BIBLIOTECA VIAJERA

A
1. b
2. a
3. b

C
1. no
2. sí
3. sí
4. no
5. sí
6. sí

D
1. b
2. b
3. a
4. b
5. a
6. a
7. a
8. b

E 1, 3, 4, 5, 6, 7, 10

F 3

G 3

VIDEO ACTIVITIES BOOKLET
Copyright © Glencoe/McGraw-Hill

¡Buen viaje! Level 3 Answer Key T-43

H. *Answers will vary but should mention the following:*
el Sistema Nacional de Bibliotecas; motivar a los niños a leer; dramatización; animación de títeres; pintar personajes

CAPÍTULO 3: CARNAVAL DE ORURO

D.
1. Bolivia
2. 10.000; 44
3. Virgen

E.
Las Diabladas
Las Cholitas
Los Caporales

F.
1. g
2. e
3. h
4. a
5. b
6. b
7. d
8. d

G. 2, 3, 5, 7, 9, 10

H. *Answers will vary.*

I. *Answers will vary.*

CAPÍTULO 3: EL TANGO

C. 2, 4, 6, 8

D. 2, 3, 5

E. 1, 3, 5, 6, 7, 9, 10

F. 2, 3, 4, 6

G. *Answers will vary.*

H. *Answers will vary.*

CAPÍTULO 4: UNA BODA CUBANA

C.
1. «¿Estáis decididos a amaros y respetaros?»
2. «... ya que queréis contraer Santo matrimonio, unid vuestras manos y manifestad vuestro consentimiento.»

D. «Que el Señor bendiga estos anillos que vais a entregaros...»

E. 1, 4, 5, 6, 8

F.
1. la vida
2. sí
3. esposa, alegrías, enfermedad, días
4. quiero
5. anillos, amor
6. señal
7. vida
8. recibe, compartir
9. esposos

G. *Answers will vary, but should mention the groom giving the bride some coins.*

H. 1, 2, 3, 6, 8

I. *Answers will vary.*

J. *Answers will vary.*

CAPÍTULO 4: LA QUINCEAÑERA

C. 1, 2, 3, 5, 9

D. 1, 2, 4, 5, 7, 8

E. 2, 4, 5, 6, 8, 9

F.
1. sé
2. diferente
3. gente
4. sé
5. cambia

G. 2

H. *Answers will vary.*

I. *Answers will vary but may mention the following:*
A fifteen-year-old girl is called a *quinceañera*.
Sometimes a big party is thrown for a *quinceañera*.
The party includes food, dancing, and speeches.

CAPÍTULO 5: LA RUTA DE COLÓN

A.
1. Huelva ("Palos de Moguer" is also acceptable.)
2. La República Dominicana
3. El rey Fernando y la reina Isabel
4. 1492

C. 1, 2, 4, 5

VIDEO ACTIVITIES BOOKLET
Copyright © Glencoe/McGraw-Hill

D 1. f   4. a
2. d   5. b
3. c   6. e

E 1. a   6. a
2. a   7. b
3. a   8. b
4. b   9. a
5. a

F 1. 1484   5. financiero
2. Huelva   6. siete
3. encuentro   7. Francia
4. nuevo

G *Answers will vary but may include the following ideas:*
Columbus sought financing from the Spanish Queen and King, Isabel and Fernando. He sought the intercession of two monks close to the Queen and King, Antonio de Marchena and Juan Pérez.
Fray Antonio de Marchena somehow convinced Queen Isabel to finance Columbus' voyage. This took seven years.
Queen Isabel finally financed Columbus' voyage.

H *Answers will vary. The following is a sample description.*
El video comienza en la República Dominicana y luego va a España. Nos da detalles de cómo Colón consiguió dinero para realizar su sueño.

CAPÍTULO 5: EL MUSEO DE LA REVOLUCIÓN

A 1. c   4. b
2. d   5. e
3. a

C 1, 3, 5, 6, 7, 8, 10

D 1. a   5. b
2. a   6. b
3. b   7. a
4. a   8. a

E 1. verdad   4. verdad
2. falso   5. verdad
3. falso   6. verdad

F *Answers will vary.*

G *Answers will vary.*

CAPÍTULO 6: LA FIESTA MEXICANA

C 1. sí   5. no
2. no   6. sí
3. sí   7. sí
4. sí   8. no

D 1. b   4. b
2. a   5. b
3. b   6. b

E 1, 2, 4, 5, 8, 9, 10, 11, 12, 14

F *Answers will vary*

G *Answers will vary but should include the following information:*
Indian and Spanish influence; meat layered between leaves; layers wrapped in maguey

H *Answers will vary but should include the following information:*
It chooses a colored paper that has the customer's fortune written on it.

CAPÍTULO 6: TESOROS OLVIDADOS

C 2, 3, 6

D 1. no   4. sí
2. sí   5. no
3. sí   6. sí

E 1. d   6. c
2. b   7. a
3. a   8. d
4. c   9. d
5. a   10. a

F 1. no   8. sí
2. sí   9. sí
3. sí   10. no
4. sí   11. no
5. no   12. sí
6. sí   13. sí
7. no   14. sí

VIDEO ACTIVITIES BOOKLET
Copyright © Glencoe/McGraw-Hill

¡Buen viaje! Level 3   Answer Key   T-45

G *Answers will vary.*

H *Answers will vary.*

CAPÍTULO 7: AERO-AMBULANCIA

A *Answers will vary but may include:*
interview the patient; palpate the patient; check pulse; take blood pressure; check heart rate; immobilize the head or limbs; administer oxygen; administer blood; sedate the patient

C **1.** b
2. a, c
3. a

D **1.** a **5.** a
2. b **6.** b
3. b **7.** a
4. a **8.** a

E 1, 2, 5, 6, 8, 10

F *Answers will vary.*

G *Answers will vary.*

CAPÍTULO 7: MANTENERSE EN FORMA

C 1, 3, 6

D 1, 3, 4, 6, 8

E 1, 2, 3, 6

F *Answers will vary but should mention any of the following:*
jugar al fútbol; usar la bicicleta de ejercicios; correr

G *Answers will vary but should mention physical exercise and/or specific exercises.*

CAPÍTULO 8: LAS INFLUENCIAS ÁRABES Y AFRICANAS

D 1, 3, 6

E 1, 2, 4, 6, 8

F 1, 2, 5, 6, 8

G **La influencia árabe**
el cuero, la artesanía, la conquista, España, la producción agrícola, mezquitas numerosas, nuevos productos, sistemas de riego, considerable actividad económica, gran extensión islámica
La influencia africana
el folklore, géneros musicales, las islas del caribe, la riqueza expresiva del movimiento, la dinámica del baile, la fuerza de los ritmos, todo Latinoamérica

H *Answers will vary but may include the following ideas:*
Arabic influence in Spain
Moslems built mosques; economic activity; crafts and commerce flourished; manufacture of leather goods, textiles, dyes, ceramics; new agricultural concepts; irrigation
African influence in Latin America
enriched folklore; musical rhythms; dance and movement

CAPÍTULO 8: LA CIVILIZACIÓN MAYA

B 3

D 1, 3, 5, 6, 8, 10

E **1.** sí **6.** no
2. sí **7.** sí
3. no **8.** no
4. sí **9.** sí
5. no

F **1.** sí **6.** sí
2. sí **7.** no
3. no **8.** sí
4. no **9.** no
5. sí **10.** no

G **Chichén Itzá:** 1, 3, 4, 8
el lago de Quilotoa: 2, 5, 6, 7

H *Answers will vary but may include the following ideas:*
The Mayans
architecture; observed the planets; important astronomical calculations; grew corn
Ecuador
acrylic paintings on leather; inner peace; oneness with the environment

T-46 ¡Buen viaje! Level 3 Answer Key

VIDEO ACTIVITIES BOOKLET
Copyright © Glencoe/McGraw-Hill

CAPÍTULO 1

Video Activities

Machu Picchu

PRE-VIEWING ACTIVITIES

A. Make a list in Spanish of all the things you know about Machu Picchu.

B. Before viewing the video, review the following words.

descubrir	regresar	estamentos
reflejar	encanto	sobrecogedor
sembrar	escaleras/escalones	sobresaliente
rodear	comprobación	emocionante
serpentear	desarrollo	

VIEWING ACTIVITIES

C. View Jocelyn's introduction to the video segment. As you do, choose the three aspects of Machu Picchu which she says will come up in the narration that follows her. Circle their numbers.

1. el sistema de organización de la ciudad de Machu Picchu

2. el sistema de irrigación de los incas

3. la importancia de las escaleras en el sistema de organización

4. la importancia de los ríos en el sistema de irrigación

5. lo que significa el sistema de organización

6. lo que significa el sistema de irrigación

D. View Jacqueline's introduction to the video segment again. Choose what she says will be the main topic of the interview between Diana Sánchez and three young people at Machu Picchu from the following.

1. sus impresiones de visitar Machu Picchu

2. los detalles de la llegada a Machu Picchu

E. View the video segment. As you do, choose the correct completion to each of the following statements.

1. El nombre de la guía de Machu Picchu es...
   a. Diana Sánchez.
   b. Ana Martínez.

2. En la primera parte del segmento, la guía describe...
   a. la historia de la llegada de los españoles a Machu Picchu.
   b. la organización de esta ciudad antigua.

3. La guía menciona que las escaleras son importantes para...
   a. las ceremonias religiosas de los incas.
   b. dividir la ciudad en diferentes barrios.

4. Los varios grupos que ocuparon los diferentes barrios de Machu Picchu eran...
   a. agricultores, artesanos, intelectuales, guerreros y sacerdotes.
   b. atletas, comerciantes, maestros, niños y mujeres.

5. Los jóvenes que visitan Machu Picchu hablan de...
   a. sus planes para pasar la noche en las ruinas.
   b. los detalles de la llegada a Machu Picchu.

6. Jorge también describe su plan de viajar a...
   a. la selva.
   b. la playa.

F. View the video segment again. As you do, indicate whether each statement is correct based on what you see and hear.

	Sí	No
1. La organización de Machu Picchu es muy sofisticada.	_____	_____
2. Los incas usaban las terrazas para la agricultura.	_____	_____
3. Hay más o menos doscientas escaleras en la ciudad de Machu Picchu.	_____	_____
4. Un miembro de la expedición de Hiram Bingham contó más de catorce mil escalones.	_____	_____
5. La escalera mayor divide la ciudad en dos partes.	_____	_____

VIDEO ACTIVITIES BOOKLET
Copyright © Glencoe/McGraw-Hill

6. Los jóvenes bajaron del tren en el kilómetro 88 para caminar por el Camino Inca.   _____ _____

7. Ana dice que había ocho personas en el grupo de jóvenes internacionales.   _____ _____

8. Caminaron doce horas todos los días.   _____ _____

9. Jorge dice que quiere ir de Iquitos a Manaos.   _____ _____

10. Jorge no sabe si tiene el tiempo y el dinero necesarios para viajar por el río Amazonas.   _____ _____

11. Diana dice que Machu Picchu es un espectáculo sobrecogedor.   _____ _____

12. Diana dice que para un científico, Machu Picchu refleja el alto grado de desarrollo de la civilización de los incas.   _____ _____

POST-VIEWING ACTIVITY

G Write a brief travel ad in Spanish describing the charms of Machu Picchu.

CAPÍTULO **1**

Video Activities

El Bazar Sábado

PRE-VIEWING ACTIVITIES

A. Based on what you've read in your *¡Buen viaje! Level 3* textbook, write a short paragraph in Spanish describing the *Bazar Sábado*.

B. Before watching the video, review the following words and expressions.

artesanos	horario	indígena	recorrer
artesanal	promedio	antigua	buscar
visitantes	maravilla	restaurada	inaugurar
dueños	casona	colocar	establecer
creadores	fundador	recuperar	adquirir
hogares	facilitar	tocar a la puerta	

VIEWING ACTIVITIES

C. View Federico's introduction to this video segment. Circle the number of each of the following details that he mentions.

1. el nombre del fundador

2. el número de visitantes que van al Bazar Sábado cada año

3. la ciudad en la cual se encuentra el Bazar Sábado

4. cuántos días de la semana se abre

5. el número de artesanos que ofrece artículos en venta

6. la misión de este centro comercial

VIDEO ACTIVITIES BOOKLET
Copyright © Glencoe/McGraw-Hill

D. View the video segment. As you do, fill in each blank on the left with the correct number from among the choices on the right.

1. El Bazar Sábado lleva _____ años.   2   35

2. Un promedio de _____ visitantes al año visitan el Bazar Sábado.   6   1956

3. El Bazar Sábado abre a las _____ de la mañana.   7   1965

4. El Bazar Sábado cierra a las _____ de la noche.   10   5.000

5. El Bazar Sábado se inauguró en el año _____.   11   15.000

                                                                                  12

E. Before viewing the video again, read the following partial statements. Then, as you watch the video, write in the missing word needed to complete each sentence.

1. «Tiánguez» es una palabra indígena que significa «día del _____.»

2. El fundador del Bazar Sábado es _____ Romero.

3. Cuando el señor Romero encontró esta bella mansión, estaba totalmente

   _____.

4. Finalmente, un _____ le abrió la puerta y el señor Romero le pidió permiso para entrar.

5. Al entrar en la casa, el señor Romero vio una maravilla de _____.

6. Al principio, al señor Romero le parecía _____ adquirir la casa.

7. El Bazar Sábado depende de la participación de un numeroso grupo de

   _____ para proveerse de los productos que se venden allá.

8. La idea de los creadores del bazar es colocar el trabajo artesanal de la cultura mexicana en

   los _____ de todo el mundo.

F. View the video segment. Circle the number of each purpose of the *Bazar Sábado* that is mentioned.

1. Mantener la calidad y la producción del valioso trabajo de los artesanos de la Ciudad de México.

2. Dar clases de artesanía a los ciudadanos del Distrito Federal.

3. Recuperar la antigua tradición indígena del «Tiánguez» o día del mercado.

4. Vender los productos artesanales a otros centros comerciales del Distrito Federal.

5. Vender la casa restaurada a nuevos dueños.

6. Colocar la artesanía mexicana en los hogares de todo el mundo.

G Write a short newspaper ad in Spanish for the *Bazar Sábado*. Mention the area of Mexico City in which it is located, its days and hours of operation, some of the things you can purchase there, and any other facts you know about it that might attract visitors.

H The *Bazar Sábado* is running a contest. The student who writes the best letter in Spanish (fifty words or less) describing why he or she would like to visit the *Bazar Sábado* wins a trip for two to Mexico City. What will *you* write?

CAPÍTULO **1**

Video Activities

Medios de transporte

PRE-VIEWING ACTIVITIES

A Think about what you already know about the following transportation services in Spain: *RENFE, AVE, Iberia.* Circle the letter of what you think is the best answer to the following questions.

1. Which service would most likely get you from Madrid to Sevilla in the least amount of time?
   a. RENFE
   b. AVE
   c. Iberia

2. Which service would probably take the most time to get you from Madrid to Sevilla?
   a. RENFE
   b. AVE
   c. Iberia

3. Which service would you most like to use to go from Madrid to Sevilla?
   a. RENFE
   b. AVE
   c. Iberia

B How would you expect transportation services in Spain to compare with those of other countries with regard to punctuality?

1. more punctual than most other countries

2. less punctual than most other countries

3. about as punctual as most other countries

C Before viewing the video, review the following words and expressions.

el billete	**dudar**	**en punto**	**llegar tarde**	**el importe**
el retraso	**madrugar**	**disponible**	**devolver**	
la alegría	**prevenir**	**lamentar**	**los puntos de venta**	

VIEWING ACTIVITIES

D. View Jocelyn's introduction to this video segment. Choose the correct completion for each of the following statements.

1. Jocelyn dice que uno de los factores que influye mucho en la decisión de cómo viajar es

   _____ .
   a. el dinero que uno tiene
   b. el tiempo que uno tiene disponible

2. Jocelyn menciona que para atraer viajeros, los varios medios de transporte hacen _____ .
   a. publicidad
   b. descuentos

3. Jocelyn indica que los tres anuncios publicitarios son de _____ .
   a. tres países diferentes
   b. España

E. Before viewing the three commercials, read over the following statements. Then watch the video. Next to each of the following statements, write the letter of the organization in whose commercial it occurs.

_____ 1.   «No dejes para mañana lo que puedas hacer hoy».   **a.** RENFE

_____ 2.   «... llegará con seis minutos de retraso».   **b.** AVE

_____ 3.   «... mucho más que volar».   **c.** Iberia

_____ 4.   «... reserve ya su billete».

_____ 5.   «las tres... la hora de comer».

_____ 6.   «A quien madruga, Dios le ayuda».

_____ 7.   «Llegas tarde».

_____ 8.   «... le devolvemos el importe total de su billete».

_____ 9.   «Corra a su agencia de viajes...»

_____ 10. «... dudamos mucho que se vaya a llevar esta alegría».

VIDEO ACTIVITIES BOOKLET
Copyright © Glencoe/McGraw-Hill

F. Look over the following statements. Then, as you watch the video again, indicate whether each is true or false according to the information in the three commercials.

	Verdad	**Falso**

1. El anuncio para RENFE usa los refranes para motivar a los pasajeros a comprar su billete pronto. _____ _____

2. «No dejes para mañana lo que puedas hacer hoy» es el equivalente de este refrán en inglés: «Don't count your chickens before they hatch». _____ _____

3. Otra manera de decir «más vale prevenir que lamentar» es «si se hacen planes temprano, no se va a llorar más tarde». _____ _____

4. «A quien madruga, Dios le ayuda» es el equivalente de este refrán en inglés: «God helps those who help themselves.» _____ _____

5. Las personas que viajan en AVE están contentas si el tren llega tarde. _____ _____

6. El anuncio dice que si el AVE llega con un retraso de más de cinco minutos, los pasajeros reciben en dinero el precio del billete. _____ _____

7. Los dos viejos en el anuncio para Iberia usan los vuelos para saber la hora. _____ _____

8. Los dos viejos comen a las doce en punto. _____ _____

9. Iberia es una de las líneas aéreas más puntuales del mundo. _____ _____

G. View the video segment. Write in English the main idea each ad wants you to remember.

1. RENFE _____

2. AVE _____

3. Iberia _____

POST-VIEWING ACTIVITIES

H. Choose one of the three ads and write a similar one in English, using as much of the information from the original as you can.

1. Choose another of the three ads. Imagine you have travelled using that means of transportation. Write a positive letter in Spanish to the offices of the organization you selected. Tell them how the commercial influenced your decision to travel with them. Describe how the trip went well, as the ad said it would.

VIDEO ACTIVITIES BOOKLET
Copyright © Glencoe/McGraw-Hill

CAPÍTULO 2

Video Activities

Biblioteca viajera

PRE-VIEWING ACTIVITIES

A. Before viewing the video, read the following partial sentences and choose the best completion for each.

1. La capital de Ecuador es _____.
   a. Guayaquil
   b. Quito

2. El porcentaje de la población ecuatoriana que vive en zonas rurales o urbano-marginales es más que el _____ por ciento.
   a. 50
   b. 85

3. En el Ecuador, la base de la educación formal probablemente es el _____.
   a. radio
   b. el libro

B. Before watching the video, review the following words and expressions.

la lectura	**el nivel**	**encargado**	**realizar**
la comprensión	**el personaje**	**real**	**motivar**
la caja viajera	**el títere**	**urbano-marginal**	**llevar**
la dramatización	**el juego**	**estimular**	**lograr**

VIEWING ACTIVITIES

C. View Jocelyn's introduction to this video segment. Indicate whether the following statements are true or not based on what you see and hear.

	Sí	No
1. En las áreas rurales y urbano-marginales del Ecuador hay muchos libros y bibliotecas.	_____	_____
2. Sin libros, hay muy poca educación formal.	_____	_____

3. El SINAB es el Sistema Nacional de Bibliotecas. _____ _____

4. La biblioteca viajera siempre está en Quito. _____ _____

5. Con el SINAB los libros llegan a los que los necesitan. _____ _____

6. El SINAB usa métodos de animación para estimular la lectura. _____ _____

D. View the video segment. Choose the best completion for each of the following statements.

1. El SINAB comenzó en el año _____.
   a. 1977
   b. 1987

2. El SINAB lleva libros a _____.
   a. la capital
   b. las comunidades rurales y urbano-marginales

3. El objetivo principal del SINAB es _____.
   a. motivar y elevar el nivel de lectura
   b. crear más bibliotecas permanentes

4. Beatriz Morales es _____.
   a. maestra de la secundaria
   b. una de las promotoras del SINAB

5. La caja viajera se usa con _____.
   a. niños de primaria y secundaria
   b. profesores

6. Después de leer los libros de cuento que se llevan en la caja viajera, los niños _____.
   a. pintan los personajes
   b. escriben su propio cuento

7. Para estimular la lectura, el SINAB usa _____.
   a. técnicas no formales de animación
   b. la computadora

8. Carmen Fonseca, la muchacha entrevistada en el video, dice que en el libro ella ve _____.
   a. muchas cosas que no entiende
   b. la realidad como es en la vida

VIDEO ACTIVITIES BOOKLET
Copyright © Glencoe/McGraw-Hill

E. View the video segment. Circle the number of each activity that SINAB uses to motivate children to read.

1. juegos infantiles
2. juegos de computadora
3. dramatizaciones
4. la caja viajera
5. horas de cuento

6. pintar los personajes
7. animar títeres
8. programas de televisión
9. estrellas de película
10. lecturas colectivas

F. View the video segment. Then circle the number of the statement which best summarizes SINAB's purpose.

1. Estimular la creatividad de los niños
2. Motivar a los padres a comprar más libros para los niños
3. Motivar a los niños a leer

POST-VIEWING ACTIVITIES

G. Circle the number of the phrase that is represented by the acronym "SINAB."

1. El Sistema Natural de Biología
2. El Sistema Nativo de Belleza
3. El Sistema Nacional de Bibliotecas

H. Write in Spanish a short article describing what SINAB stands for, what its goals are, and the various techniques it uses to achieve these goals.

CAPÍTULO **3**

Video Activities

Carnaval de Oruro

PRE-VIEWING ACTIVITIES

A Make a list of words in Spanish that you associate with *carnaval*, parades, music, and dancers.

B Locate Bolivia on the map of *La América del Sur* on page 409 of your textbook. Write in Spanish what you know about this country.

C Before viewing the video, review the following words and expressions.

alquilados	**el bien**	**echar una promesa**
bordados	**el mal**	**cumplir una promesa**
acompañados	**recorrer**	
la plata	**lograr**	
el trayecto	**coquetear**	

VIEWING ACTIVITIES

D View Jocelyn's introduction to this video segment. As you do, fill in the blanks with the missing words.

1. Jocelyn dice que vamos a Oruro. ¿En qué país está Oruro? _____.

2. Jocelyn dice que hay _____ danzarines agrupados en

_____ comparsas.

3. Esta celebración pagano-religiosa se dedica a _____ de Socavón y al Diablo o Tijuy, guardián de las minas de plata y estaño.

E View Jocelyn's introduction to the video segment. Circle the names of three *comparsas* that she mentions:

Los Trajes de Oro	**Las Cholitas**	**Los Caporales**
Las Diabladas	**Los Folklóricos**	**Las Mineras**

VIDEO ACTIVITIES BOOKLET
Copyright © Glencoe/McGraw-Hill

F View the video segment. As you do, match each item in the first column with a name in the second column. Some names may not be used at all; some may be used more than once.

_____ **1.** la capital folklórica de Bolivia

_____ **2.** la patrona religiosa de este carnaval

_____ **3.** el guardián de las minas de plata y estaño

_____ **4.** la comparsa que representa la lucha entre el bien y el mal

_____ **5.** la comparsa que representa el toque femenino

_____ **6.** la comparsa que coquetea durante todo el trayecto

_____ **7.** la comparsa que representa los capataces de las haciendas españolas

_____ **8.** la comparsa que se asocia más con la juventud

a. Las Diabladas

b. Las Cholitas

c. Los trajes de oro

d. Los Caporales

e. La Virgen de Socavón

f. Nuestra Señora de Estaño

g. Oruro

h. Tijuy

G View the video segment. As you do, circle the number of each of the following statements that is true.

1. El Carnaval de Oruro siempre es en septiembre.

2. Cada bailarín alquila su propio traje.

3. Muchos de los trajes son bordados en oro y plata.

4. Uno de los bailarines dice que un traje puede costar entre 170 y 300 bolivianos.

5. No hay diferencias de clase ni de edad en el desfile.

6. Los niños no pueden participar en el desfile.

7. Para participar en una de las comparsas es necesario hacer una promesa a la Virgen de Socavón de participar en ellas tres años consecutivos.

8. Las comparsas se bailan durante nueve kilómetros sin parar.

9. Se necesita estar en buena forma para bailar en una de las comparsas.

10. El entusiasmo contagioso y una profunda fe son los ingredientes que mantienen viva esta tradición.

POST-VIEWING ACTIVITIES

H Write in English what impressed you the most about this video segment.

I Write a letter in Spanish to a friend describing what you saw and experienced at the Carnaval de Oruro in Bolivia.

CAPÍTULO 3

Video Activities

El tango

PRE-VIEWING ACTIVITIES

A. Find Argentina on the map of *La América del Sur* on page 409 of your textbook. Locate Buenos Aires. Determine whether Argentina has a seashore and mountains. Then make a list in Spanish of all the things you know about Argentina.

B. Before viewing the video, review the following words and expressions.

nacer	siglo	traje de etiqueta	dorada
originarse	época	parrillada	contagiosa
convertirse	estandarte	juguetona	las afueras
reflejar	marginal	ancha	en busca de
dar a luz	década	vestidas	llena de

VIEWING ACTIVITIES

C. View Federico's and Jocelyn's introduction to this video segment. As you do, determine which of the following they mention about Argentina. Circle the item's number.

1. La Argentina es la capital de Europa.

2. La Argentina es un país europeo y latinoamericano.

3. La Argentina es famosa por sus montañas y playas.

4. El video nos enseña cómo y dónde nació el tango.

5. Los gauchos fueron los primeros en bailar el tango.

6. El tango nació a fines del siglo XIX.

7. El tango nació en los salones de baile elegantes.

8. El tango se originó en los bares del puerto.

VIDEO ACTIVITIES BOOKLET
Copyright © Glencoe/McGraw-Hill

D. View the video segment. Determine which three of the following topics are treated. Circle their numbers.

1. la geografía general de la Argentina

2. cómo, dónde y cuándo nació el tango

3. Buenos Aires, la capital de Argentina y su ambiente europeo

4. el problema del tráfico en Buenos Aires

5. cómo el tango se convirtió en el baile universal de la pasión

6. la importancia de estar a la moda para las damas elegantes

E. View the video segment. Circle the number of each of the following items that is associated with the origin and evolution of the tango.

1. Nació como expresión de las afueras.

2. Vino de las fiestas en las montañas.

3. Se originó por el año 1880.

4. Reflejó la vida en el campo.

5. La alegría de la ciudad dio a luz al tango.

6. Es el hijo natural de la ciudad y de la noche.

7. Nació como una melodía llena de rebelión e ilusiones.

8. Nació en los grandes salones de baile.

9. La época dorada del tango fue la década de los cuarenta.

10. El tango llegó a ser el estandarte y símbolo de Buenos Aires.

F. View the video segment. As you do, determine which of the following attributes of Buenos Aires are mentioned. Circle their numbers.

1. tierra del amor

2. la París sudamericana

3. apariencia y ambiente europeos

4. refleja las grandes capitales europeas

5. el río más ancho del mundo

6. la avenida más ancha del mundo

POST-VIEWING ACTIVITIES

G. Write a brief summary in English describing the origin and evolution of the tango.

H. Write a brief ad describing a night of tango dancing at a local nightclub. Mention some of the things you learned about the tango from this video.

CAPÍTULO **4**

Video Activities

Una boda cubana

PRE-VIEWING ACTIVITIES

A. List in English as many traditional phrases as you can think of that couples use while exchanging wedding vows.

B. List in Spanish as many things as you can think of associated with weddings.

C. In this video, the priest uses the *vosotros* form to address the bride and groom. To review these forms, convert the *ustedes* forms to *vosotros* forms in the following sentences.

1. ¿Están decididos a amarse y respetarse?

   _____

2. ... ya que quieren contraer Santo matrimonio, unan sus manos y manifiesten su consentimiento...

   _____

3. Que el Señor bendiga estos anillos que van a entregarse...

   _____

D. Before viewing the video, review the following words and expressions.

el anillo	**las arras**	**compartidos**	**simbolizar**
la señal	**los bienes materiales**	**juntos**	**orar**
la pena	**consentimiento mutuo**	**el signo**	**significar**
la prenda	**serle fiel (a una persona)**	**la entrega**	**la bendición**

VIDEO ACTIVITIES BOOKLET
Copyright © Glencoe/McGraw-Hill

VIEWING ACTIVITIES

E. View Federico's introduction to the video segment. As you do, circle the number of each item he mentions.

1. A todo el mundo le encanta asistir a una boda.

2. Las familias hispanas que viven en los Estados Unidos no conservan las tradiciones hispanas al celebrar una boda.

3. El video nos lleva a la ceremonia civil de una pareja hispana.

4. Los novios se llaman Miguel y Celeste.

5. El sacerdote emplea lenguaje muy formal.

6. En el video hay una costumbre cubana que refleja cómo los novios van a compartir los bienes materiales.

7. También vamos a ver a dónde va la pareja en su luna de miel.

8. También vamos a la recepción de los cónyuges.

F. View the video segment. As you do, fill in the blanks with the missing words.

El sacerdote:

1. «¿Estáis decididos a amaros y respetaros mutuamente durante toda

_____?»

Los novios:

2. «_____».

El sacerdote:

3. «Miguel, ¿quieres recibir a Celeste como _____ y prometes serle fiel en

las _____ y las penas, en la salud y en la _____ y así

amarla y respetarla todos los _____ de tu vida?»

Miguel:

4. «Sí, _____».

El sacerdote:

5. «Que el Señor bendiga estos _____ que vais a entregaros el uno al otro

en señal de _____ y de fidelidad».

Celeste:

6. «Miguel, recibe este anillo en _____ de mi amor y fidelidad».

El sacerdote:

7. «El matrimonio es una _____ compartida. Los bienes también son compartidos. Esto se simboliza ahora con la bendición y entrega de unas arras o monedas que van a ser también bendecidas».

Miguel:

8. «Celeste, _____ estas arras como prenda de la bendición de Dios y

signo de los bienes que vamos a _____ ».

El sacerdote:

9. «Todos congratulamos y felicitamos a los nuevos _____ y la asamblea de amigos y parientes puede significar esto con un aplauso mientras se dan su primer beso».

G View the video segment. Then describe in English the special custom that symbolizes the sharing of material goods.

_____

_____

H View the video segment. Circle the number of each of the following activities that you see take place.

1. Los nuevos esposos entran al salón de la recepción.

2. Se anuncian los nuevos esposos: Miguel y Celeste Fajardo.

3. Los esposos bailan su canción de boda.

4. Todos comen una comida especial.

5. Los novios cortan la torta nupcial.

6. La novia le ofrece al novio un pedacito de la torta nupcial.

7. Los padres de los novios bailan con sus hijos.

8. La novia arroja el ramo a las señoritas que asisten a la recepción.

POST-VIEWING ACTIVITIES

I Write an article describing the wedding of Miguel and Celeste Fajardo for the wedding page of the Spanish edition of the *Miami Herald*.

J Describe in English which part of the wedding and reception you liked the best and why.

VIDEO ACTIVITIES BOOKLET
Copyright © Glencoe/McGraw-Hill

CAPÍTULO 4

Video Activities

La quinceañera

PRE-VIEWING ACTIVITIES

A. Write a description of what you know about the celebration for a girl who turns fifteen, a *quinceañera*.

B. Before viewing the video, review the following words and expressions.

la simpatía	asentada	dispuesta	emocionante
la jovencita	madura	guardar	sumamente
el recuerdo	dulce	sentirse	quizás
el corazón	orgullosos	nacer	a través de

VIEWING ACTIVITIES

C. View Jocelyn's introduction to this video segment. As you do, circle the number of each item she mentions.

1. Tal vez el día más importante en la vida de una señorita hispana es el día que cumple 15 años.

2. La celebración para una quinceañera es una fiesta muy tradicional.

3. Estamos invitados a la celebración de Jessica.

4. Jessica nació en Cuba.

5. Jessica vive ahora en Miami.

6. Jessica sólo habla español.

7. Jessica no quiere celebrar sus quince años en un estilo tradicional.

8. Uno de los momentos más emocionantes de la celebración es cortar la torta.

9. El papá de Jessica le dedica unas palabras especiales.

D. View the video segment. As you do, circle the numbers of the accurate statements.

1. Jessica lleva un vestido blanco.

2. Primero, Jessica se presenta al público acompañada por cuatro muchachos.

3. Mientras Jessica baila sola, todos le cantan *Feliz cumpleaños*.

4. Después, el padre de Jessica la presenta al público.

5. Mientras Jessica y su papá bailan, se oyen las palabras que su papá le dedica.

6. Jessica baila con todos los muchachos.

7. Mientras Jessica y sus amigos bailan, se narran detalles de su vida.

8. Mientras Jessica corta la torta, parece que está acompañada por su familia.

E. View the video segment. Circle the numbers of the statements you hear the announcer say during the celebration.

1. «Recuerda que el amor es la cosa más importante de la vida».

2. «Conserva siempre tu alegría y simpatía hacia tu familia y amistades».

3. «Tú tienes un corazón lleno de amor».

4. «Tus padres se sienten muy orgullosos de ti».

5. «Con mucho amor te deseamos un feliz cumpleaños».

6. «Jessica, nuestra quinceañera, nació el cuatro de junio de 1979».

7. «Jessica cursa sus estudios en el Colegio San Francisco».

8. «Jessica es sumamente responsable en sus estudios».

9. «Jessica es... dulce, alegre, amiga de sus amigas, y siempre dispuesta a ayudar al prójimo».

F. View the beginning of the video segment, in which Jessica dances and a song is heard. Fill in the blanks with the missing words from the song.

«Yo no **(1.)** _____ por qué me siento hoy tan **(2.)** _____

por qué no quiero nada con la **(3.)** _____ ... ¿Qué será? Yo no

(4.) _____. ¿Por qué mi cuerpo **(5.)** _____ algún día...?»

POST-VIEWING ACTIVITIES

G. The title of the song heard at the beginning of the celebrations is probably

1. «La gente diferente»

2. «Yo no sé»

3. «Estoy orgulloso de ti»

VIDEO ACTIVITIES BOOKLET
Copyright © Glencoe/McGraw-Hill

H Write a letter in Spanish thanking Jessica for inviting you to her party. Tell her what you enjoyed the most about it.

I In English, write a brief summary of the various traditions you observed in the celebration for Jessica.

CAPÍTULO **5**

Video Activities

La ruta de Colón

PRE-VIEWING ACTIVITIES

A Answer the following questions in Spanish, based on what you already know about Christopher Columbus.

1. ¿De que región de España salió Cristóbal Colón?

_____

2. ¿A qué país llegó Cristóbal Colón al descubrir el Nuevo Mundo?

_____

3. ¿Cómo se llamaban los Reyes Católicos que financiaron el viaje de Colón?

_____

4. ¿En qué año salió Colón de España en el viaje que lo llevó al Nuevo Mundo?

_____

_____

B Before viewing the video, review the following words and expressions.

el encuentro	**judío**	**discutir**
la frontera	**converso**	**convencer**
el fraile	**antiguo**	**probar suerte**
el mensajero	**decepcionado**	**descifrar**
la tripulación	**real**	

VIEWING ACTIVITIES

C View Jocelyn's introduction to this video segment. Circle the numbers of the accurate statements.

1. En 1992 se celebró el Quinto Centenario de la llegada de Cristóbal Colón al Nuevo Mundo.

2. Muchos programas surgieron en 1992 para describir lo que pasó en la época de Colón.

3. Este video nos enseña mucho de la familia italiana de Colón.

VIDEO ACTIVITIES BOOKLET
Copyright © Glencoe/McGraw-Hill

4. En el video vemos los sitios por donde pasó Colón para conseguir el apoyo financiero de los Reyes Católicos.

5. También vemos el sitio de donde salió Colón en su primer viaje.

6. Lo más importante del video es el énfasis en lo que pasó en el viaje.

D View the video segment. Match the descriptions on the left with the people and places on the right by writing the letter in the blank.

_____ **1.** El sitio donde Colón discutió sus planes para el descubrimiento de un nuevo mundo.

a. El rey de Francia

_____ **2.** La persona que en 1484 acompañó a Colón en su viaje al convento de La Rábida.

b. La reina Isabel

_____ **3.** El fraile que convenció a los Reyes Católicos de financiar su viaje.

c. Fray Antonio de Marchena

_____ **4.** Después de recibir la negativa de la Comisión Real, Colón fue a probar suerte con este monarca.

d. su hijo Diego

_____ **5.** El monarca que finalmente decidió financiar el viaje de Colón.

e. La República Dominicana

_____ **6.** El nombre contemporáneo del país a donde llegó Colón en 1492.

f. El convento de La Rábida

E View the video segment. Choose the best completion for each of the following statements.

1. El sitio al cual llegó Colón en su primer viaje al Nuevo Mundo, ahora se llama _____.
  a. Puerto Chiquito de Puerto Plata
  b. Golfo de Cádiz cerca de Palos de la Frontera

2. La primera vez que Colón discutió en España sus planes para su viaje por mar fue en el año _____.
  a. 1484
  b. 1492

3. Los españoles con quienes consultó Colón por primera vez fueron _____.
  a. dos frailes
  b. los Reyes Católicos

4. Los dos frailes eran _____.
  a. amigos del rey de Francia
  b. amigos de los Reyes Católicos

5. Después de hablar con Colón sobre sus ideas para el viaje, los dos frailes _____.
  a. convencieron a los Reyes Católicos de España de recibir a Colón
  b. le recomendaron que fuera a hablar con el rey de Francia

6. La primera reacción de los Reyes Católicos a las ideas de Colón fue _____.
   a. negativa
   b. positiva

7. Mientras Colón estaba en Francia, Fray Antonio de Marchena _____.
   a. murió
   b. fue a hablar otra vez con la Reina Isabel

8. Todavía no se sabe por qué los Reyes Católicos _____.
   a. decidieron ir a Francia con Colón
   b. decidieron mandar mensajeros para buscar a Colón en Francia

9. Finalmente, los Reyes Católicos decidieron _____.
   a. ayudar a financiar el sueño de Colón
   b. mandar Fray Antonio de Marchena a viajar con Colón a Francia

F View the video segment. Then, based on what you see and hear, fill in the blanks of the following summary with items from the list. Not all items will be used.

1484	Huelva	encuentro	1492	nuevo
Madrid	**financiero**	**Alemania**	**siete**	**Francia**

La primera vez que Colón consultó con los españoles sobre sus ideas para un viaje por

mar fue en el año **(1.)** _____. Fue al convento de La Rábida que está

en **(2.)** _____. España. En la sala que se ve en el programa, nació el

(3.) _____ de dos culturas que también se llama «el descubrimiento de

un mundo **(4.)** _____». El fraile que ayudó a Colón a recibir el apoyo

(5.) _____ de los Reyes Católicos fue Fray Antonio de Marchena. Colón

tuvo que esperar **(6.)** _____ años para recibir una respuesta afirmativa a

su petición. Algo que todavía no se sabe hoy día es por qué los Reyes Católicos decidieron

ayudar a Colón después de que él se fue a hablar con el rey de **(7.)** _____.

PRE-VIEWING ACTIVITIES

G Choose one of the following people. Write in English all you know about his or her role in financing the voyage that led to the arrival of Columbus in America:

Cristóbal Colón   **Fray Antonio de Marchena**   **La reina Isabel**

H You are contributing to a catalog of video programs about *El Quinto Centenario*. Write a brief description in Spanish of the program you have seen for the catalog.

CAPÍTULO 5

Video Activities

El Museo de la Revolución

PRE-VIEWING ACTIVITIES

A Before viewing the video, read over the names in the first column. Relying on your knowledge of Mexican history, fill in the blank with the letter of the best description for each person.

_____ **1.** Benito Juárez   **a.** héroe de la Revolución asesinado durante la Revolución

_____ **2.** Porfirio Díaz   **b.** héroe de la Revolución asesinado después de la Revolución

_____ **3.** Pancho Villa   **c.** primer presidente indígena de México

_____ **4.** Emiliano Zapata   **d.** dictador de México por más de treinta años

_____ **5.** Francisco Madero   **e.** el líder de la Revolución contra Díaz en 1910

B Before viewing the video, review the following words and expressions.

acontecimiento	**recopilar**	**agrícola**
recorrido	**recoger**	**sangriento**
rumbo	**indígena**	**dar paso**
lucha	**envuelto**	**los inicios**

VIEWING ACTIVITIES

C View Federico's introduction to the video segment. As you do, circle the number of each topic he mentions.

1. la dictadura de Porfirio Díaz

2. el asesinato de Francisco Madero

3. la presidencia de Benito Juárez

4. el año 1917

5. el año 1867

6. la represión del dictador

7. película auténtica de la Revolución

8. la ciudad de México

9. revolucionarios internacionales

10. cambios sociales

D View the video segment. Choose the correct completion for each of the following statements.

1. El Museo de la Revolución recoge los acontecimientos de _____.
   a. finales del siglo XIX y los inicios del siglo XX
   b. sólo los inicios del siglo XX

2. Este período es importante porque _____.
   a. cambió el rumbo de la vida mexicana
   b. muchos obreros fueron a la ciudad

3. El museo se encuentra _____.
   a. en las afueras de la ciudad
   b. en el centro de la ciudad

4. El museo recopila _____ años de la historia de México.
   a. cincuenta
   b. siete

5. El recorrido del museo comienza en el año _____.
   a. 1917
   b. 1867

6. Con los gobiernos liberales de Juárez y Díaz se inicia el proceso de _____.
   a. agricultura
   b. industrialización

7. El museo ofrece muchos ejemplos de la _____. una forma de expresión muy común durante el período 1906 a 1913.
   a. caricatura
   b. urbanización

8. El museo refleja el período de continuas y sangrientas luchas populares que duró de

_____.
   a. 1913 a 1917
   b. 1907 a 1910

VIDEO ACTIVITIES BOOKLET
Copyright © Glencoe/McGraw-Hill

E View the video segment. Indicate whether each of the following statements is true (*verdad*) or false (*falso*).

	Verdad	**Falso**
1. El museo está construido bajo el Monumento a la Revolución.	_____	_____
2. El museo se encuentra cerca del Zócalo.	_____	_____
3. Pancho Villa fue el que consolidó la República Mexicana.	_____	_____
4. Hasta finales del siglo XIX, México era predominantemente agrícola.	_____	_____
5. Durante la Revolución, el sentir del pueblo se expresaba por medio de la caricatura.	_____	_____
6. El museo contiene fotos, documentos y otro tipo de artículos que reflejan fielmente el pasado de la Revolución Mexicana.	_____	_____

POST-VIEWING ACTIVITIES

F Choose one of the historical figures mentioned in the video segment. Write a brief description in English of the role he played in the Mexican Revolution.

G Write an ad for a Spanish tourist magazine describing why people should visit the museum described in this video segment. Mention where it is located and what they will find there.

CAPÍTULO 6

Video Activities

La fiesta mexicana

PRE-VIEWING ACTIVITIES

A Write in Spanish as many words or phrases as you can related to the following:

1. la comida mexicana

_____

2. la música mexicana

_____

3. una fiesta mexicana

_____

B Before viewing the video, review the following words and expressions:

el ambiente	maguey	disfrutarse
la barbacoa	bultos	concurrir
la suerte	exquisito	adivinar
la carne de cordero	mestizo	sazonar
el borrego	cálido	envuelto
los mexicas (pronounced *me-SHE-kas*)		

VIEWING ACTIVITIES

B View Federico's introduction to the video segment. Indicate whether the following statements are true or not based on what you see and hear.

	Sí	No
1. La comida mexicana es muy sabrosa.	_____	_____
2. No hay mucha variedad en la comida mexicana.	_____	_____

VIDEO ACTIVITIES BOOKLET
Copyright © Glencoe/McGraw-Hill

3. A los mexicanos les gusta gozar de la buena vida. _____ _____

4. La fiesta mexicana es muy alegre. _____ _____

5. En el video, visitamos la casa de una familia mexicana. _____ _____

6. La especialidad del restaurante El Arroyo es la barbacoa. _____ _____

7. Muchas familias mexicanas van al restaurante El Arroyo, especialmente los fines de semana. _____ _____

8. Una de las diversiones del restaurante es el pájaro que baila. _____ _____

D. Look over the following incomplete sentences. Then, as you view the video segment, write the letter of the response that best completes each sentence.

1. La barbacoa es un reflejo de la cultura _____.
a. norteamericana
b. mestiza

2. Los borregos fueron introducidos en tierras mexicanas por los _____.
a. españoles
b. indígenas

3. Los métodos de cocinar la barbacoa son de los _____.
a. españoles
b. indígenas

4. La carne que se usa para la barbacoa es carne de _____.
a. puerco
b. cordero

5. Se sazona la carne con _____.
a. mucho chile picante
b. sal natural de grano

6. Después de sazonar la carne, se envuelve en hojas de aguacate y después, en hojas de

_____.

a. papel
b. maguey

E View the video segment. As you do, circle the number of each type of entertainment the restaurant offers.

1. cantantes
2. bailarines
3. cómicos
4. grupos de música folklórica
5. grupos jarochos
6. comparsas
7. estrellas de cine
8. grupos norteños

9. mariachis
10. tríos que ofrecen sus servicios a petición de los clientes
11. el organillero
12. el merenguero
13. camareros que cantan
14. el pájaro que adivina la suerte

POST-VIEWING ACTIVITIES

F Write a review of *El Restaurante Arroyo* in Spanish for a Mexican newspaper. Emphasize how the food and the entertainment are perfect for a weekend outing for the Mexican family.

G Describe in English the Mexican tradition of *la barbacoa*. Mention the culture(s) it comes from and the way it is prepared.

H Describe in English what entertainment is provided by the *pajarito* for the customer who requests its services.

VIDEO ACTIVITIES BOOKLET
Copyright © Glencoe/McGraw-Hill

CAPÍTULO **6**

Video Activities

Tesoros olvidados

PRE-VIEWING ACTIVITIES

A You've discovered an antique trunk hidden away in the attic. List in English what you expect to find inside.

B Before viewing the video, review the following words and expressions.

el almacén	**las antigüedades**	**imaginar(se)**
el propietario	**las reliquias**	**fantasear**
el baúl	**las curiosidades**	**tratar(se) de**
el rincón	**los orificios**	**pertenecer**
el azar	**las joyas**	**raspar**
la casualidad	**los mensajes**	**feo**
el dueño	**doble fondo**	**sin valor**
el prendedor	**ocultas**	

VIEWING ACTIVITIES

C View Federico's introduction to the video segment. As you do, circle the number of each of the following reasons he mentions for liking antiques.

1. Le gusta comprarlas a un precio bajo y venderlas a un precio alto.

2. Le gusta imaginarse de dónde vienen.

3. Le gusta pensar en quiénes eran sus dueños.

4. Le gusta restaurarlas en buenas condiciones.

5. Le gusta regalárselas a sus parientes y amistades.

6. Le gusta imaginarse qué tipo de vida llevaban antes.

D Read over the following statements before viewing the introduction again. Then, indicate whether the following statements are true or not based on what you see and hear.

	Sí	No

1. Martín habla de una señorita que se llama María Fernández.   _____   _____

2. La persona que describe vive en Quito, capital del Ecuador.   _____   _____

3. La historia se trata de un baúl viejo.   _____   _____

4. El baúl pertenecía antes a la tatarabuela de la persona que la descubre.   _____   _____

5. El baúl se descubrió en la casa de Fernando.   _____   _____

6. El video nos explica más de esta historia.   _____   _____

E View the video segment. Match the description on the left with a character on the right by writing the letter of the character in the blank. You will use some characters more than once.

Column A

_____ 1. La persona que fue el primer propietario del baúl.

_____ 2. La persona que cree que el baúl no tiene valor.

_____ 3. La persona que toma la decisión de comprar el baúl.

_____ 4. La persona que lo vende.

_____ 5. La persona que lo compra.

_____ 6. La persona que dice que «todos los artículos tienen su historia».

_____ 7. La persona que empezó a raspar el fondo del baúl.

_____ 8. Doña Aurora Montufa

_____ 9. La persona que dejó joyas dentro del fondo del baúl.

_____ 10. La persona que descubrió las joyas envueltas en papelitos.

Column B

a. Fernando Varea

b. la mamá de Fernando

c. la dueña de la tienda

d. la tatarabuela de Fernando

VIDEO ACTIVITIES BOOKLET
Copyright © Glencoe/McGraw-Hill

Nombre _____ Fecha _____

F. Read the following statements before viewing the video again. As you view the video, indicate whether each statement is true or false.

	Verdad	Falso
1. Fernando es un muchacho de diecisiete años.	_____	_____
2. Después de realizar sus tareas del colegio, a Fernando le gusta pasear.	_____	_____
3. A veces, Fernando sale a pasear solo, a veces con amigos, pero el día que compró el baúl, salió con su mamá.	_____	_____
4. A Fernando le gusta mucho pasear por las tiendas de antigüedades.	_____	_____
5. Fernando compró el baúl el primer día que lo vio.	_____	_____
6. Fernando estaba obsesionado con el baúl antes de comprarlo.	_____	_____
7. A la mamá de Fernando le gusta mucho el baúl.	_____	_____
8. Fernando tomó la decisión de comprar el baúl.	_____	_____
9. La dueña de la tienda cree que Fernando es un chico muy curioso a quien le gusta investigar los artículos.	_____	_____
10. Inmediatamente después de llevar el baúl a casa, Fernando empezó a raspar el fondo.	_____	_____
11. En el baúl, Fernando encontró el nombre de un señor y su fecha de nacimiento.	_____	_____
12. También encontró unas cositas envueltas en papelitos.	_____	_____
13. Los papelitos eran tiernos mensajes maternales o las indicaciones para reconstruir un prendedor.	_____	_____
14. Doña Aurora Montufa es la abuela de la abuela de Fernando.	_____	_____

POST-VIEWING ACTIVITIES

G. Play the role of Fernando. Write a letter in Spanish to your cousin Enrique in Guayaquil, Ecuador. Tell about the trunk you found and the surprises in it.

H. Write a description of Doña Aurora Montufa in English. When did she live? How was she connected to the trunk

CAPÍTULO 7

Video Activities

Aero-ambulancia

PRE-VIEWING ACTIVITIES

A Make a list in English of what a doctor might do for a patient during an airlift between a small city and a large urban hospital.

B Before viewing the video, review the following words and expressions.

herido	respiración	rescatar
equipo	utilizar	portátiles
cuello ortopédico	mostrar	cuidados intensivos
tránsito	realizar	

VIEWING ACTIVITIES

C View Jocelyn's introduction to the video segment. As you do, circle the letter of each correct response to the following questions. (Note: there may be more than one correct response.)

1. ¿Por qué es difícil el transporte en el Ecuador?
   a. Muchas personas no tienen carro.
   b. Hay dos cordilleras de los Andes en el país.

2. ¿Qué dos factores afectan la habilidad de conseguir tratamiento médico en el Ecuador?
   a. Hay pocos médicos por número de habitantes.
   b. A los indígenas no les gusta la medicina moderna.
   c. Casi la mitad de la población vive en zonas rurales.

3. ¿Cuál es el tema principal de este segmento?
   a. La importancia del servicio de aero-ambulancia para transportar a un paciente crítico de una zona rural a un hospital grande de la capital.
   b. La necesidad de usar oxígeno en los aviones pequeños.

VIDEO ACTIVITIES BOOKLET
Copyright © Glencoe/McGraw-Hill

D View the video segment. As you do, choose the best completion for each of the following statements.

1. Un equipo de la televisión _____.
   a. va con un equipo médico para rescatar a un paciente
   b. espera en tierra la llegada de la aero-ambulancia

2. El paciente fue herido en la ciudad de _____.
   a. Quito
   b. Esmeraldas

3. Al llegar a la clínica, el médico examina al paciente utilizando _____.
   a. sólo el equipo técnico de la clínica
   b. los más modernos equipos portátiles de diagnóstico

4. Antes de transportar al paciente al aeropuerto, el médico _____.
   a. lo inmoviliza con un cuello ortopédico
   b. le toma una radiografía

5. Durante el vuelo, el médico le _____.
   a. realizó un electrocardiograma
   b. tomó una muestra de sangre

6. A los quince minutos de vuelo, el paciente mostró una dificultad respiratoria. El médico

   _____.
   a. no pudo hacer nada para ayudarle
   b. le realizó una intubación endotraqueal

7. El médico que viaja con el paciente en la aero-ambulancia es _____.
   a. especialista en cuidados intensivos
   b. un buen piloto

8. Con la ayuda de la aero-ambulancia, es probable que _____.
   a. el paciente sobreviva
   b. el paciente muera

E View the video segment. As you do, circle the number of each procedure that Dr. Sáenz performs on the patient.

1. evalúa al paciente

2. le da medicamentos contra el dolor

3. le toma una muestra de sangre

4. le toma una radiografía

5. le pone un cuello ortopédico

6. le da oxígeno para ayudarle a respirar mejor

7. le examina los oídos

8. le realiza un electrocardiograma

9. le pone una venda en la nariz

10. le realiza una intubación endotraqueal

POST-VIEWING ACTIVITIES

F. Write a summary in English of what happened in this video.

G. Write in Spanish a brief press release to be sent to rural newspapers in Ecuador. Your press release should list the benefits of the *Aero-ambulancia* program.

CAPÍTULO **7**

Video Activities

Mantenerse en forma

PRE-VIEWING ACTIVITIES

A. List in Spanish different kinds of exercises that one might do to stay in shape.

B. Before viewing the video, review the following words and expressions.

la tripulación	**cumplir**	**dedicarse**
el buque	**aprovechar**	**en alta mar**
el destino	**navegar**	**la travesía**

VIEWING ACTIVITIES

C. View Federico's introduction to the video segment. As you do, circle the numbers of the items he mentions.

1. La importancia de mantenerse en forma.

2. Cómo no le gusta a Federico hacer ejercicios físicos.

3. El problema de mantenerse en forma si uno está a bordo de un barco.

4. Cómo a los ecuatorianos no les gusta hacer ejercicios físicos.

5. La imposibilidad de mantenerse en forma mientras uno está en alta mar.

6. Lo que hacen unos marineros ecuatorianos para mantenerse en forma.

D. View the video segment. As you do, circle the numbers of the items that correctly complete this partial statement.

Los marinos se dedican al deporte...

1. después de cumplir su tarea.

2. antes de comenzar su tarea.

3. para mantenerse en forma.

4. para aprovechar el tiempo libre.

5. porque el capitán del barco les manda hacerlo.

6. y cada uno tiene su manera especial.

7. durante tres horas cada día.

8. mientras el buque navega hacia su destino.

E. View the video segment. As you do, circle the numbers of the physical activities you see people doing.

1. baile aeróbico

2. usar la bicicleta de ejercicios

3. correr

4. levantar pesas

5. nadar en el mar

6. jugar al fútbol

7. saltar a la soga

POST-VIEWING ACTIVITIES

F. Write a letter in Spanish from a crew member to his brother explaining how he stays in shape while at sea.

G. Write an ad in Spanish to recruit sailors. Emphasize how much spare time they have while at sea and how they can use it to stay in shape.

VIDEO ACTIVITIES BOOKLET
Copyright © Glencoe/McGraw-Hill

CAPÍTULO **8**

Video Activities

Las influencias árabes y africanas

PRE-VIEWING ACTIVITIES

A. List in Spanish all the things you associate with Arabic influence on Spain.

B. List in Spanish all the things you associate with African influence on Spanish-speaking countries.

C. Before viewing the video, review the following words and expressions.

el valle	**los musulmanes**	**atravesar**
el estrecho	**los logros**	**florecer**
el cuero	**los géneros**	**visigodo**
el aporte	**construir**	**humilde**
la aldea	**desarrollar**	**de manera notable**
la mezquita	**destacar(se)**	**apenas**
la acequia	**predicar**	**sistemas de riego**
la riqueza	**suponer**	**poner(se) de manifiesto**
enriquecer		

VIEWING ACTIVITIES

D. View Jocelyn's introduction to this video segment. Based on her introduction, circle the numbers of the statements below that are accurate.

1. La mayoría de las culturas europeas y latinoamericanas tienen la influencia de otros continentes.

2. Los árabes estuvieron muchos siglos en el Perú.

3. La influencia árabe se ve principalmente en España.

4. Los españoles trajeron a los africanos a las zonas del Caribe para trabajar.

5. La influencia africana sólo se ve en la zona del Caribe.

6. Los ritmos africanos han contribuido mucho a la danza moderna de muchos países latinoamericanos.

7. La influencia africana en las culturas árabes es enorme.

E View the part of the video segment about Arabic influence. Based on the video, circle the numbers of the statements below that are accurate.

1. Mahoma, un hombre de unos cuarenta años, comienza a predicar una nueva religión en Arabia en el siglo séptimo.

2. La conquista de España por los musulmanes comenzó en 711 y estaba casi completa en el año 714.

3. Los musulmanes construyeron de inmediato centros comerciales.

4. Durante el dominio islámico florecen la economía, la artesanía y el comercio.

5. Los árabes se destacan por sus ritmos.

6. También floreció la agricultura durante el dominio islámico.

7. Los árabes destruyeron las acequias romanas.

8. Los árabes contribuyeron con nuevos productos y nuevos sistemas de riego en España.

F View the part of the video segment about African influence. Based on the video, circle the numbers of the statements below that are accurate.

1. La cultura de origen africano enriqueció grandemente el folklore de Iberoamérica.

2. La dinámica de la percusión y de la danza africana se manifiesta en los géneros musicales de casi todos los países latinoamericanos.

3. La influencia africana no se ve en el Perú.

4. Los ritmos africanos tienen mucha fuerza.

5. Los ritmos africanos han influido en la música de muchos países latinoamericanos.

6. La riqueza expresiva del movimiento también es otro aspecto de la influencia africana en las danzas latinoamericanas.

7. El Socabón y la Zamacueca son reyes africanos.

8. El grupo Perú-Expresión refleja los ritmos y movimientos africanos en su manera de bailar.

POST-VIEWING ACTIVITIES

G After viewing the video segment, decide whether each item is associated with Arabic influence in Spain or African influence in Latin America. Copy it beneath the appropriate heading.

el cuero	**la producción agrícola**	**la riqueza expresiva de movimiento**
el folklore	**géneros musicales**	**considerable actividad económica**
la artesanía	**mezquitas numerosas**	**gran extensión islámica**
la conquista	**nuevos productos**	**la dinámica del baile**
España	**sistemas de riego**	**la fuerza de los ritmos**
	las islas del Caribe	**toda Latinoamérica**

1. La influencia árabe

_____

_____

_____

2. La influencia africana

_____

_____

_____

H Choose either of the two parts of the video segment and write a summary in English of the contributions of the group featured.

CAPÍTULO **8**

Video Activities

Las influencias indígenas

PRE-VIEWING ACTIVITIES

A Locate Chichén Itzá on the map on page 371 of your textbook. Using what you already know about Chichén Itzá, list Spanish words and expressions you associate with it.

B Locate Ecuador on the map on page 409 of your text. From your knowledge of indigenous groups in Latin America, which group would you expect to have most influenced this country?

1. Los aztecas

2. Los mayas

3. Los incas (quechuas)

C Before viewing the video, review the following words and expressions.

el equinoccio	la cordillera	encajar	amplio
el caracol	la laguna	distorsionar	sagrado
el paisaje	la soledad	embrujar	extinguido
el payaso	la mirada	voltear	emplumado
el cuero	la sencillez	regatear	quemado
el borrego	los pormenores	inquietar	por lo largo de
la apertura	las fases	soportar	alrededor de

VIEWING ACTIVITIES

D View Federico's introduction to this video segment. Circle the numbers of the items he mentions.

1. la civilización maya

2. la civilización azteca

3. las montañas del Ecuador

4. las montañas de México

5. la ciencia de los mayas

VIDEO ACTIVITIES BOOKLET
Copyright © Glencoe/McGraw-Hill

6. el arte de los antepasados del Ecuador

7. un museo de arte

8. un observatorio que se usa para ver los planetas

9. técnicas para usar productos naturales como medicina

10. técnicas para ilustrar una vida que ha cambiado poco en los últimos 500 años

E. View the part of the video segment on Chichén Itzá. Indicate whether the following statements are true or not based on what you see and hear.

	Sí	No
1. En el edificio maya de Chichén Itzá se ven las dos serpientes emplumadas.	_____	_____
2. Se puede ver la serpiente entera por lo largo de la escalera sólo dos veces al año, en los dos equinoccios.	_____	_____
3. No se sabe cómo se puede ver la serpiente entera.	_____	_____
4. Los mayas creían que en los dos días del equinoccio, el dios del viento descendía a la tierra para purificar a las personas que venían al santuario sagrado.	_____	_____
5. Todos los mayas subían a la torre llamada El Caracol para ver la luna llena.	_____	_____
6. En la época de los mayas, era necesario usar un telescopio para ver a los planetas y las estrellas.	_____	_____
7. Por medio de las aperturas en El Caracol, los mayas podían hacer todos los cálculos astronómicos.	_____	_____
8. Los cálculos eran necesarios para las ceremonias religiosas.	_____	_____
9. También se llama a los mayas «las civilizaciones del maíz».	_____	_____

F. View the part of the video segment on lake Quilotoa. Indicate whether the following statements are true or not based on what you see and hear.

	Sí	No
1. La laguna de Quilotoa se encuentra en la cordillera occidental del Ecuador.	_____	_____
2. Esta laguna se encuentra en el cráter de un volcán extinguido.	_____	_____
3. La laguna de Quilotoa se encuentra muy lejos de las zonas donde viven los artistas indígenas.	_____	_____
4. Los indígenas que se ven en el programa tienen el rostro rojo por la pintura.	_____	_____
5. Los artistas venden sus pinturas cerca de la laguna.	_____	_____
6. Los artistas regatean precios y explican los pormenores de su arte.	_____	_____
7. La pintura es muy moderna y usa materiales nuevos.	_____	_____
8. Las pinturas de los indígenas reflejan las varias emociones de este pueblo.	_____	_____
9. El indígena no soporta bien el clima de la laguna.	_____	_____
10. Parece que los indígenas no viven alegres en este pedazo de tierra.	_____	_____

POST-VIEWING ACTIVITIES

G. After viewing the video segment, write the number of each item beneath the appropriate heading.

1. Quetzalcóatl es el dios del viento.

2. Para su arte, usan el cuero de borrego.

3. Sabían calcular la rotación de la Tierra alrededor del sol.

4. Necesitaban los cálculos astronómicos para cultivar su alimentación principal.

5. Soportan el clima con total indiferencia.

6. Su belleza se admira y se siente en el fondo profundo de cada ser.

VIDEO ACTIVITIES BOOKLET
Copyright © Glencoe/McGraw-Hill

7. Tienen el rostro frío, quemado por el sol.

8. La sombra del sol crea una serpiente entera por lo largo de la escalera.

Chichén Itzá   **la laguna de Quilotoa**

_____   _____

H. Choose one of the two indigenous groups in the video. Briefly describe in English the cultural contributions of the group.

NOTES

NOTES

NOTES

NOTES

NOTES

NOTES

NOTES